Gilles Azzopardi

MIEUX SE CONNAÎTRE POUR RÉUSSIR

Tous les tests pour s'auto-évaluer

•MARABOUT•

Sommaire

Introduction 7

Vos fondamentaux 9
Vos tendances de personnalité 10
Votre caractère 27
Votre forme d'intelligence 43
Votre type mental 50
Votre estime de soi 60
Votre intelligence émotionnelle (QE) 69

Votre profil psychoprofessionnel 79
Votre indice d'extraversion 81
Votre indice de convivialité 89
Votre indice de conscience professionnelle 97
Votre indice de stabilité émotionnelle 105
Votre indice d'ouverture d'esprit 113
La bonne adéquation profil/job 121

Votre niveau de performance **125**

Votre degré de motivation 126

Vos capacités d'adaptation 140

Votre aptitude au succès .149

Votre force de persuasion 154

Votre résistance au stress .158

Réussir les tests d'entreprise **169**

Les méthodes d'évaluation 170

Les tests d'aptitudes 177

Les tests d'intelligence 183

Les questionnaires de personnalité 194

Les tests projectifs 203

Table des matières 221

INTRODUCTION

On ne réussit pas, on ne s'épanouit pas dans son travail si on ne sait pas ce qui est bon pour soi.

Comment le savoir? En répondant aux quatre grandes questions suivantes qu'on devrait tous se poser avant d'entreprendre sa vie professionnelle, même si c'est normal au début de se chercher.

Qu'est-ce que je dois faire?

Pour être indépendant financièrement, remplir mes obligations morales vis-à-vis des autres et de moi-même. Quels sont mes vrais besoins matériels personnels?

Qu'est-ce que je veux faire?

Idéalement, qu'est-ce qui compte d'abord pour moi? Faire carrière? M'éclater dans mon job? Me sentir utile? Être reconnu par les autres? Avoir du temps? Réaliser quelque chose? Trouver la sécurité? Faire des bébés? Etc.

Qu'est-ce que je sais faire?

Quels sont mes dons naturels (j'en ai)? Est-ce que je les exploite vraiment? Qu'est-ce que j'ai appris? Est-ce que je m'en sers vraiment? Comment pourrais-je vivre de ce que je sais faire (mes dons, mes hobbies, ma passion…)?

Qu'est-ce que je peux faire?

Qu'est-ce qui m'arrête (j'ai peur, je ne sais pas exactement ce que je veux, ce qui est possible, je n'ai pas confiance en moi...)? Quelles sont mes possibilités (me débarrasser de ce qui m'arrête, voir un conseiller d'orientation, changer de job, suivre une formation, me perfectionner...)? De quoi ai-je besoin (plus de temps, d'imagination, de volonté, de soutien de la part des autres, de conseils, d'opportunités, un bienfaiteur...)?

Et même quand on se sent bien dans son job, ce n'est pas une raison pour s'endormir sur ses lauriers. On doit aussi se poser les bonnes questions: « Comment me vois-je dans trois ans, cinq ans, dix ans? Est-ce que je suis capable de faire aujourd'hui un vrai projet professionnel? Est-ce que j'ai assez d'ambition, un regret, une envie (au fond de moi)?

Ce livre vous donne des réponses. Il est conçu pour vous permettre d'évaluer et de développer vos capacités, d'améliorer votre efficacité et vos performances et de réussir votre vie professionnelle.

VOS FONDAMENTAUX

« Il faut se connaître soi-même », disait Pascal,
« quand cela ne servirait pas à trouver le vrai,
cela au moins sert à régler sa vie... »

Aujourd'hui où tout va de plus en plus vite, où tout devient de plus en plus compliqué, la connaissance de soi est une clef indispensable pour s'adapter et réussir (au sens d'être relativement heureux) dans le monde actuel.

Les chapitres suivants sont faits pour ça : il vous invitent à explorer différentes facettes de votre personnalité, les plus essentielles. Ils vous donnent les outils indispensables pour en savoir plus sur vous-même et prendre les bonnes options.

VOS TENDANCES DE PERSONNALITÉ

Qui est normal ? Qui ne l'est pas ? En fonction de quelles « normes » sociales, culturelles ? C'est évidemment bien subjectif. Personne n'est parfait. Nous avons tous heureusement des petites tendances qui font l'originalité (et le charme) de notre personnalité. Sont-elles innées ou acquises ? Au fond, cela n'a pas d'importance tant qu'elles ne nous empêchent pas d'aimer et de travailler.

LA TYPOLOGIE DU DSM IV

Depuis plus de quarante ans, médecins, psychologues et psychiatres du monde entier collaborent, en échangeant leurs informations, afin de définir des normes de personnalité valables au plan international. Le résultat de leurs observations sont régulièrement publiés, par l'American Psychiatric Association, dans un gros ouvrage, qui fait référence auprès des professionnels : *Diagnostic and Statistical Manual of Mental Disorders* (*Le Manuel diagnostique et statistique des troubles mentaux*, éditions Masson). Aujourd'hui, dans l'état actuel des travaux, on estime qu'il y a treize types de personnalité différents, avec des caractéristiques et des comportements spécifiques.

QUESTIONNAIRE DE PERSONNALITÉ

Ce questionnaire est établi sur la base des critères diagnostiques du DSM IV, afin de vous permettre de définir les différents traits de votre personnalité, voire votre type de personnalité si vous avez des tendances très marquées.

Certaines questions peuvent vous paraître très intimes, d'autres imprécises ou loin de votre sensibilité, de vos idées ou de vos préoccupations personnelles, mais cela fait partie du test. Répondez sincèrement par oui ou par non.

1. Vous vous attendez, sans raison suffisante, à ce que les autres vous exploitent.

2. Vous n'appréciez pas beaucoup les relations avec vos proches (y compris les relations familiales).

3. Vous vous sentez souvent concerné par des situations ou des personnes sans lien direct avec vous.

4. Enfant, vous avez souvent fait l'école buissonnière.

5. Vous avez tendance à trop idéaliser vos relations ou à les dévaloriser d'une manière excessive.

6. Vous cherchez constamment à être rassuré, approuvé.

7. Vous réagissez toujours aux critiques par des sentiments (même non exprimés) de rage, de honte ou d'humiliation.

8. Vous n'avez pas d'amis proches ou seulement un.

9. Vous êtes incapable de prendre une décision dans la vie quotidienne sans être rassuré ou conseillé par les autres.

10. Vous ne pouvez achever un projet tant que vos exigences personnelles ne sont pas satisfaites.

11. Vous avez tendance à remettre au lendemain les corvées.

12. Vous avez déjà utilisé la violence physique pour vous imposer.

13. Vous allez souvent vers des gens qui vous déçoivent.

14. Il vous arrive de mettre en doute, sans motif valable, l'honnêteté de vos amis.

oui 15. Vous préférez presque toujours les activités solitaires.

oui 16. Vous vous sentez très gêné socialement quand vous avez affaire à des inconnus.

17. Enfant (moins de 15 ans), vous avez fugué (au moins deux fois) du domicile de vos parents.

18. Vous avez déjà volé dans un magasin.

19. Pour vous, il est extrêmement important de plaire physiquement.

20. Il vous arrive souvent d'utiliser les autres pour obtenir ce que vous voulez.

oui 21. Vous avez besoin d'être certain d'être aimé pour vous impliquer dans une relation.

22. Vous laissez souvent les autres prendre les décisions importantes vous concernant (par exemple : où habiter, quel emploi prendre…).

oui 23. Vous êtes souvent tellement préoccupé par les détails, l'ordre, que vous perdez de vue le but principal de vos activités.

24. Vous devenez boudeur, irritable ou ergoteur quand on vous demande de faire des choses que vous n'avez pas envie de faire.

25. Il vous est arrivé d'humilier quelqu'un devant tout le monde.

26. Vous ne laissez pas les autres vous aider.

27. Vous pensez qu'il n'y a pas de réflexions ou d'événements anodins.

28. Vous ne vous mettez jamais, ou très rarement, en colère.

29. Vous croyez au « sixième sens ».

30. Enfant, vous avez souvent été à l'origine de bagarres.

oui 31. Vous avez de fréquents changements d'humeur.

32. Vous sanglotez souvent d'une manière incontrôlable.

33. Vous avez souvent surestimé vos capacités ou vos réalisations.

oui 34. Vous préférez éviter les activités sociales et profession-nelles qui entraînent beaucoup de contacts avec les autres.

oui 35. Vous vous montrez facilement « d'accord » avec les gens, même quand vous pensez qu'ils ont tort.

oui 36. Vous exigez des autres qu'ils fassent les choses à votre manière et pas autrement.

37. Vous faites mal (ou très lentement) tout ce que vous n'avez pas vraiment envie de faire.

38. Il vous est arrivé de punir très durement quelqu'un qui dépendait de vous.

oui 39. Vous vous sentez fréquemment déprimé, coupable ou mal à l'aise après un événement heureux.

40. Vous êtes particulièrement rancunier.

41. Vous avez peu ou pas de désirs sexuels.

oui 42. Vous avez déjà éprouvé des sensations sortant de l'ordinaire (par exemple : être dans une pièce et sentir une « présence »).

43. Enfant (moins de 15 ans), vous avez parfois utilisé une « arme » pour vous battre.

oui 44. Vous avez fréquemment des crises de colère ou de mauvaise humeur.

45. Vous vous sentez mal à l'aise quand vous n'êtes pas au centre de l'attention.

46. Vous pensez que seuls des gens exceptionnels peuvent comprendre vos problèmes.

oui 47. En société, vous avez souvent peur de répondre « à côté » ou de dire des choses stupides.

48. Vous avez du mal à faire des projets ou les choses tout seul.

49. Vous consacrez l'essentiel de votre temps à votre travail.

50. Vous vous plaignez fréquemment que les autres sont trop exigeants avec vous.

51. Vous pouvez éprouver du plaisir en voyant les autres souffrir.

52. Vous provoquez souvent chez les autres des réactions de colère ou de rejet.

53. Vous n'aimez pas trop vous confier parce que cela pourrait être utilisé contre vous.

54. Les compliments et les critiques vous laissent plutôt indifférent.

55. On a fréquemment dit de vous que vous aviez un comportement ou un aspect bizarre.

56. Enfant (moins de 15 ans), vous avez forcé quelqu'un à des actes sexuels.

57. Vous avez fait une tentative de suicide.

58. Vous êtes très versatile dans l'expression de vos émotions.

59. Vous êtes souvent absorbé par des rêves de succès exceptionnels.

60. L'idée de rougir, de pleurer ou de montrer des signes d'anxiété devant d'autres personnes vous gêne terriblement.

61. Dans votre travail ou à la maison, vous êtes souvent volontaire pour les corvées.

62. Vous avez tendance à éviter de prendre des décisions, à repousser au lendemain.

63. Vous évitez parfois vos obligations en prétextant les avoir « oubliées ».

64. Vous avez déjà menti uniquement pour blesser ou faire souffrir quelqu'un.

65. Vous avez du mal à reconnaître que quelque chose ou quelqu'un vous procure du plaisir.

66. Vous réagissez brutalement quand vous vous sentez dédaigné.

67. Vous n'avez pas de confidents (ou seulement un) à part vos parents.

68. Enfant, vous vous êtes parfois montré cruel avec des animaux.

oui 69. Vous vous êtes souvent posé des questions sur votre « identité » personnelle, sexuelle ou professionnelle.

oui 70. Vous supportez très mal les frustrations.

71. Vous éprouvez souvent le sentiment que les choses vous sont dues.

oui 72. Vous avez tendance à exagérer les difficultés, les risques, dès que vous sortez de la routine.

73. Vous avez du mal à supporter la solitude.

oui 74. Vous êtes très strict sur les questions de morale, d'éthique ou de valeurs.

75. Vous pensez travailler beaucoup mieux que ce que les autres ne croient.

76. Vous avez déjà eu recours à l'intimidation pour obliger les autres à faire ce que vous vouliez.

77. Vous avez tendance à ne pas faire tout ce qu'il faut pour réaliser vos objectifs.

78. Vous doutez souvent, sans raison valable, de la fidélité de votre partenaire sexuel.

79. Vous êtes très distant, froid, dans vos relations avec les autres.

oui 80. On vous a souvent dit que vos propos étaient vagues, abstraits.

81. Enfant (moins de 15 ans), il vous est arrivé de vous montrer cruel physiquement avec d'autres personnes.

82. Vous éprouvez fréquemment des sentiments d'ennui ou de vide.

83. Vous êtes « pauvre en détails » quand vous devez décrire un événement ou une personne.

84. Vous passez votre temps à chercher les compliments.

85. Vous vous sentez anéanti quand une relation proche s'interrompt.

86. Sentimentalement, vous n'êtes pas très démonstratif.

87. Vous vous vexez quand on vous fait des suggestions pour être plus efficace.

88. Vous avez déjà interdit à un proche (pas un enfant) de faire ce qu'il voulait.

89. Vous avez tendance à repousser les gens qui vous veulent du bien.

90. Vous n'êtes pas très aimable dans vos relations avec les autres.

91. Enfant, vous avez déjà détruit volontairement quelque chose qui appartenait à quelqu'un d'autre.

92. Vous pouvez faire d'immenses efforts pour éviter d'être abandonné.

93. Vous êtes incapable de reconnaître ou de ressentir ce qu'éprouvent les autres.

94. Vous êtes souvent préoccupé par l'idée, la peur, d'être quitté.

95. Vous êtes avare de votre temps ou de votre argent quand cela ne doit pas déboucher sur un gain personnel.

96. Vous avez tendance à gêner parfois les efforts des autres en ne faisant pas votre part de travail.

97. Vous êtes fasciné par la violence, les arts martiaux, les armes.

98. Vous vous sacrifiez souvent pour des personnes qui ne vous ont rien demandé.

99. Vous vous montrez très méfiant dans vos relations avec les autres.

100. Enfant, vous avez déjà volontairement allumé des incendies.

101. Vous éprouvez fréquemment des sentiments d'envie ou de jalousie.

Oui 102. Vous vous sentez très vite blessé quand vous êtes critiqué ou désapprouvé.

103. Vous avez du mal à jeter les objets usés ou sans valeur, même quand ils n'ont pas d'importance sentimentale.

104. Vous avez tendance à critiquer, sans raison valable, les gens qui occupent des postes de direction.

105. Vous aviez l'habitude de mentir tout le temps quand vous étiez enfant.

106. Enfant, vous avez commis des vols fréquents.

107. Vous avez fréquemment un aspect, un comportement, sexuellement provocants.

108. Vous vous souvenez rarement de vos rêves.

VOTRE PROFIL DE PERSONNALITÉ

Vos réponses à ce questionnaire vous permettent d'établir votre profil de personnalité en fonction de vos différents traits de caractère. Ne soyez pas étonné, si vous vous retrouvez dans des personnalités différentes. C'est normal. De fait, le Moi est toujours un mixte de différents traits de personnalité avec souvent une tendance dominante. Vous êtes évidemment plus « marqué » par telle ou telle « personnalité » quand vous cumulez, dans une série donnée, les réponses positives.

Vous avez répondu « oui » à :

- au moins quatre des affirmations n° 1, 14, 27, 40, 53, 66, 78 : personnalité paranoïaque
- au moins quatre des affirmations n° 2, 15, 28, 41, 54, 67, 79 : personnalité schizoïde
- au moins cinq des affirmations n° 3, 16, 29, 42, 55, 67, 80, 90, 99 : personnalité schizotypique

• au moins trois des affirmations n° 4, 17, 30, 43, 56, 68, 81, 91, 100, 105, 106 : personnalité antisociale

• au moins cinq des affirmations n° 5, 18, 31, 44, 57, 69, 82, 92 : personnalité limite

• au moins quatre des affirmations n° 6, 19, 32, 45, 58, 70, 83, 107 : personnalité histrionique

• au moins cinq des affirmations n° 7, 20, 33, 46, 59, 71, 84, 93, 101 : personnalité narcissique

• au moins quatre des affirmations n° 8, 21, 34, 47, 60, 72, 102 : personnalité évitante

• au moins cinq des affirmations n° 9, 22, 35, 48, 61, 73, 85, 94, 102 : personnalité dépendante

• au moins cinq des affirmations n° 10, 23, 36, 49, 62, 74, 86, 95, 103 : personnalité obsessionnelle-compulsive

• au moins cinq des affirmations n° 11, 24, 37, 50, 63, 75, 87, 96, 104 : personnalité passive-agressive

• au moins quatre des affirmations n° 12, 25, 38, 51, 64, 76, 88, 97 : personnalité sadique

• au moins cinq des affirmations n° 13, 26, 39, 52, 65, 77, 89, 98 : personnalité à conduite d'échec

La personnalité paranoïaque

Sa caractéristique essentielle : la tendance (nettement plus fréquente chez les hommes que chez les femmes) à interpréter les actions des autres comme délibérément humiliantes ou menaçantes et cela sans raison valable.

Ses principales qualités : le sérieux, la compétence, l'ambition, l'énergie, l'hyper-vigilance, le sang-froid.

Ses plus : l'autonomie, un sens de l'observation très fin, le goût du secret, des procédures, le sens des relations hiérarchiques, l'intérêt pour les engins mécaniques, l'électronique, l'automation (peu de goût pour l'art).

Ses faiblesses : la difficulté d'intégration (égocentrisme) dans un groupe (social, professionnel, familial…), à moins d'être en position dominante (tendances moralistes, mégalomaniaques), la froideur, le manque d'humour, de tendresse, de sentimentalité, la méfiance dans les relations interindividuelles, la mise en doute de la fidélité (jalousie pathologique), de la loyauté ou de l'honnêteté des partenaires (conjoint, enfants, amis, associés, collaborateurs…), le refus des critiques, des compromis, l'obstination (hostilité, manipulation, rancune).

La personnalité schizoïde

Sa caractéristique essentielle : l'indifférence aux relations sociales et intrafamiliales (ce sont des « solitaires ») et la restriction du registre affectif.

Ses principales qualités : la discrétion, la réserve, la stabilité émotionnelle (indifférence aux éloges comme aux critiques), le recul par rapport aux événements, aux situations.

Ses plus : de bonnes performances dans toutes les situations qui requièrent l'isolement, un travail solitaire.

Ses faiblesses : la limitation des relations avec les autres au plan privé et social, le manque d'entregent, de désir sexuel (indifférence chez les hommes, passivité chez les femmes), de convivialité…, le flou dans les objectifs personnels, l'indécision dans l'action et dans les situations d'urgence.

La personnalité schizotypique

Sa caractéristique essentielle : un manque d'adaptation dans les relations avec les autres (3 % de la population générale).

Ses caractéristiques associées: souvent des tendances anxieuses, dépressives et des traits de personnalité limite.

Ses handicaps: la perturbation des mécanismes intellectuels (mode de pensée persécutoire, confusion des idées...), des croyances bizarres (superstitions, voyance, télépathie, « sixième sens »...), la singularité de l'aspect (apparence négligée, excentrique), du comportement (attitudes et gestes stéréotypés), du langage (emploi des mots dans un sens inhabituel), l'incapacité d'intégration sociale et professionnelle.

La personnalité antisociale

Sa caractéristique essentielle: un comportement irresponsable et antisocial (3 % des hommes et 1 % des femmes aux USA).

Ses handicaps: l'incapacité à assumer des responsabilités (parentales, financières...), à conserver une activité professionnelle régulière, à se conformer aux normes sociales (actes délictueux, activités illégales), des comportements agressifs (coups et blessures sur conjoint, enfant, bagarres), imprudents (sexualité à risques, conduite en état d'ivresse, excès de vitesse, consommation excessive de « drogues »...).

Ses facteurs prédisposants: souvent des mauvais traitements pendant l'enfance, une absence de références parentales, des antécédents avant l'âge de 15 ans (vols, vandalisme, bagarres, fugues...).

La personnalité limite (ou borderline)

Sa caractéristique essentielle: une instabilité de l'image de soi, des humeurs, des relations (plus fréquent chez les femmes que chez les hommes).

Ses caractéristiques associées: des traits de personnalité schizotypique, histrionique, narcissique et antisociale.

Ses handicaps : les doutes concernant la préférence sexuelle, les choix personnels (système de valeur, amitiés, partenaires…), des incertitudes quant à l'avenir (objectifs à long terme, carrière…), une instabilité affective (changements rapides d'humeur, accès de colère, de dépression, d'anxiété), des sentiments chroniques de vide, d'ennui ou d'abandon, des comportements impulsifs et dangereux (dépenses excessives, abus de « drogues », boulimies, conduites suicidaires…), des excès dans les relations avec les autres (alternance d'idéalisation et de dévalorisation excessives), un manque de contrôle émotionnel, notamment de l'agressivité.

La personnalité histrionique (ou hystérique)

Sa caractéristique essentielle : l'émotivité excessive et la recherche systématique d'attentions, d'éloges (nettement plus fréquent chez les femmes que chez les hommes).

Ses principales qualités : la vivacité, la capacité à être en représentation, à jouer un rôle (« victime » ou « princesse »), l'intuition, l'imagination, la recherche de la nouveauté, la force de conviction, le goût et la facilité des contacts.

Ses plus : la créativité, le charme, la séduction, l'enthousiasme, le goût pour l'esthétique, les dons artistiques (sens du romanesque).

Ses faiblesses : le peu ou l'absence de tolérance à la frustration (recherche de satisfactions, de résultats immédiats), à la routine (besoin de stimulation, de sensations fortes), de résistance au stress (troubles de santé), la dramatisation des problèmes (personnels, amoureux, professionnels…), le besoin permanent d'être rassuré (sentiments d'impuissance, de dépendance), d'approbations, de gratifications, le peu d'intérêt pour les performances intellectuelles, le manque de rigueur, de persévérance, de jugement (influencé par les autres, les modes…).

La personnalité narcissique

Sa caractéristique essentielle : le manque d'empathie (capacité à reconnaître et à ressentir ce que les autres éprouvent) et une sensibilité excessive au jugement des autres.

Ses caractéristiques associées : souvent des traits de personnalité histrionique, limite et antisociale.

Ses principales qualités : l'ambition (pouvoir, beauté, amour idéal…), la recherche de la performance et de l'excellence (scolaire, sportive, professionnelle, sexuelle…), la motivation (besoin de réussir).

Ses plus : les capacités d'affirmation personnelle, le désir de succès (amoureux, professionnel…).

Ses faiblesses : la surestimation fréquente des capacités (sentiments que les choses lui sont dues, jalousie et envie pour ceux qui réussissent mieux) et des réalisations (recherche d'attention et d'admiration constantes), la tendance à exploiter les autres (pour se faire valoir, parvenir à ses fins), à se remettre en question (poursuite d'objectifs irréalistes), à négocier dans les situations conflictuelles (réactions de rage), le manque de résistance à l'échec (sentiments d'humiliation).

La personnalité évitante

Sa caractéristique essentielle : la timidité et la gêne dans les relations sociales.

Ses caractéristiques associées : des sentiments fréquents de dépression, d'anxiété ou de colère contre soi-même à cause de l'échec à nouer des relations sociales. Parfois des phobies particulières.

Ses principales qualités : la discrétion, la retenue, la stabilité des investissements affectifs, professionnels, des facilités pour vivre et travailler d'une manière méthodique, accepter des directives, suivre des consignes, exécuter des ordres.

Ses plus : l'autonomie (capacité à vivre et à travailler seul), une très bonne adaptation à la routine.

Ses faiblesses : le manque d'aisance dans les contacts (peur de rougir, de montrer des signes d'anxiété, de dire des choses stupides…), pour s'affirmer dans un groupe social (peur de la désapprobation), professionnel (peur de la critique), la réticence pour se lier aux autres (à moins d'être certain d'être aimé), l'inadaptation aux changements (exagération des risques et des difficultés potentielles).

La personnalité dépendante

Sa caractéristique essentielle : un comportement dépendant et soumis (nettement plus fréquent chez les femmes que chez les hommes).

Ses caractéristiques associées : souvent des traits de personnalité évitante, histrionique, schizotypique ou narcissique.

Ses principales qualités : des facilités pour recevoir des conseils, accepter des directives, suivre des consignes, exécuter des ordres, rendre des comptes, déléguer des responsabilités, aider les autres, nouer des contacts, s'impliquer dans des relations.

Ses plus : la motivation, la capacité d'engagement dans une relation (sentimentale, amoureuse…), un groupe (familial, social, professionnel…).

Ses faiblesses : le manque d'autonomie (incapacité à vivre et à faire les choses seul), de confiance en soi (besoin permanent d'être rassuré), de décision (se laisse dominer), la dépréciation des capacités et des qualités personnelles, la peur d'être rejeté, abandonné.

La personnalité obsessionnelle-compulsive

Sa caractéristique essentielle: un mode général de perfectionnisme et de rigidité (nettement plus fréquent chez les hommes que chez les femmes).

Ses caractéristiques associées: fréquemment des sentiments dépressifs, de colère (souvent non exprimés).

Ses principales qualités: la conscience morale, le sens des responsabilités, le respect de la loi, de la règle, des procédures, la capacité d'analyse (idées, situations), les facilités pour coordonner, organiser les activités, le travail des autres, diriger, donner des ordres.

Ses plus: la recherche de performance dans l'organisation et l'action (privée, sociale), l'implication dans le travail (sérieux, conscience professionnelle), la stabilité et la capacité d'investissement dans des projets à long terme, le sens de la compétition.

Ses faiblesses: l'incapacité à prendre des décisions (peur de commettre une erreur), à se faire plaisir (dévotion excessive pour le travail) et à faire plaisir aux autres (manque de générosité, de manifestations de tendresse), à déléguer des responsabilités (les autres ne font jamais assez bien), à se remettre en question (convictions rigides, obstination), à faire des concessions (incapacité à « lâcher »), à s'adapter au changement (peur de ne pas tout contrôler).

La personnalité passive-agressive

Sa caractéristique essentielle: un mode général de résistance passive aux demandes de performances (dans les études, le travail, la vie privée, familiale…).

Ses caractéristiques associées: souvent des traits de personnalité dépendante.

Ses principales qualités : la discrétion, la réserve, la stabilité, la persévérance, l'absence d'agressivité apparente, l'évitement des conflits dans la vie privée et sociale.

Ses plus : une très bonne résistance à l'échec et au stress.

Ses faiblesses : le manque d'efficacité (tendance à tout remettre au lendemain, à gêner le travail des autres, à perdre du temps), de fiabilité (« oublis » des obligations), de bonne volonté (boude, ergote, s'irrite quand on lui demande de faire des choses qu'il n'a pas envie de faire), l'insuffisance des motivations (pessimisme), l'intolérance aux suggestions (réactions d'amour-propre), les récriminations (se plaint toujours que les autres aient des exigences insensées), la lenteur délibérée dans l'exécution des tâches (à la maison, au bureau…), les problèmes avec l'autorité (critique ou méprise les « supérieurs »).

La personnalité sadique

Sa caractéristique essentielle : un mode général d'agressivité et de dévalorisation d'autrui (plus fréquent chez les hommes que chez les femmes).

Ses caractéristiques associées : souvent des traits de personnalité narcissique ou antisociale.

Ses principales qualités : les facilités pour s'affirmer à titre individuel ou social, commander, donner des ordres, coordonner, organiser les activités des autres, prendre des décisions, faire face aux conflits.

Ses plus : une grande puissance de travail, un sens aigu des rapports hiérarchiques, la confiance en soi, l'ambition, le goût du risque.

Ses faiblesses : le manque d'empathie, de convivialité, l'autoritarisme, l'incapacité à aider ou soutenir les autres (dans la vie privée, sociale…), à mener des négociations (dans la vie professionnelle).

La personnalité à conduite d'échec

Sa caractéristique essentielle : un ensemble de conduites d'échec se manifestant dans la vie privée et socioprofessionnelle (ne fait pas ce qui est le mieux pour elle alors qu'elle en a les moyens).

Ses caractéristiques associées : souvent des traits de personnalité limite, dépendante, passive-agressive, obsessionnelle-compulsive et évitante.

Ses principales qualités : la conscience professionnelle, la puissance de travail, la facilité à accepter, exécuter les ordres.

Ses plus : la facilité à travailler en équipe, aider les autres, résister au stress.

Ses faiblesses : le refus (repousse les tentatives des autres pour l'aider ou les rend inefficaces), le manque d'ambition (reste toujours au-dessous de ses capacités), de discernement (fait systématiquement des choix « malheureux »).

VOTRE CARACTÈRE

Le caractère d'une personne est la résultante de trois propriétés de base : l'émotivité ou la non-émotivité, l'activité ou la non-activité et le retentissement des représentations (primarité ou secondarité). Mais, avant d'en venir à l'évaluation de votre caractère, quelques précisions sur les termes.

L'émotivité

Tout le monde a des émotions, même un non-émotif. L'émotif est simplement quelqu'un qui est troublé quand la plupart des gens ne le sont pas ou qui éprouve des émotions plus intenses que la moyenne. Au contraire d'un non émotif, plus difficile à émouvoir et dont les émotions sont moins intenses.

L'activité

Tout le monde est actif et un non actif peut agir beaucoup mais, au contraire de l'actif qui agit de lui-même, il «agit contre son gré, à son corps défendant, avec peine, souvent en grommelant et en se plaignant» (Le Senne).

Le retentissement

Le retentissement, c'est l'influence des impressions que nous subissons sur notre manière d'agir et de penser. Quand celles-ci ont une action immédiate, on parle de primarité; quand elles ont une action prolongée, de secondarité. «Le primaire se soumet à ce qui arrive, le secondaire à ce qui est arrivé.» (Gaston Berger)

LES HUIT « CARACTÈRES » DE HEYMANS ET WIERSMA

Au début du XXe siècle, deux psychologues cliniciens, Heymans et Wiersma, adressent des questionnaires à trois mille médecins hollandais et allemands : quatre-vingt-dix questions très précises (réponse par oui ou non) qu'ils leurs demandent de poser aux patients et à leur famille. Objectif de l'étude : déterminer toutes les composantes du caractère.

À l'issue de cette formidable enquête qui prend des années, Heymans et Wiersma mettent en évidence trois facteurs fondamentaux du caractère : l'émotivité, l'activité et le retentissement.

Analysant la répartition de ces facteurs, leurs proportions relatives, dans la population étudiée, ils définissent **huit grands types caractériels** qu'ils nomment : colériques, passionnés, sentimentaux, nerveux, sanguins, flegmatiques, apathiques et amorphes. Aux yeux de Heymans et Wiersma, ces types ne prétendent pas épuiser toute la richesse et la diversité d'un être humain, mais ils représentent une bonne différenciation statistique des caractères individuels.

Validée en France par les travaux de Le Senne, et après lui de Gaston Berger, la typologie de Heymans et Wiersma reste, aujourd'hui, pour la plupart des psychologues, le système le plus abouti de définition du caractère.

LA TYPOLOGIE DE GASTON BERGER

	Actifs	Non-actifs	Secondaires	Primaires
E.	Grande activité extérieure Action fiévreuse Sociabilité Puissance de travail	Émotivité « tombante » Peur de l'action Sentiment d'écrasement par les choses Manque de naturel Sublimation des désirs Éprouve l'ennui et le redoute	Réserve Exigence Organisation hiérarchique de la vie affective Reste longtemps sous les pressions Attachement au passé	Imagination Spontanéité Désordre Révolte Inconstance Cyclothymie Mobilité des sentiments Besoin d'émotion
nE.	Activité froide Objectivité Persévérance Courage Méfiance à l'égard des émotions	Très peu d'activité Indifférence Manque d'initiative	Régularité Fidélité Impassibilité Sens de la justice Respect des principes Économie Égalité d'humeur	Facilité d'adaptation Accommodant Peu sensible au danger
A.			Talents d'organisation Sens social Travail régulier Persévérance	Aisance Assurance Disponibilité Présence d'esprit Décisions rapides Gaieté
nA.			Mélancolie Repli sur soi Résistance passive Manque de facilité Indécision Goût de la solitude Sédentarité	Ne peut pas résister Soumis à l'instant Négligence Gaspillage

b. Vous avez tendance à vous décourager facilement en cas de difficultés ou quand il faut faire trop d'efforts.

4. a. Vous avez sans cesse besoin de faire des projets, de vous projeter dans l'avenir.

b. Vous aimez bien rêver à ce que votre vie a été ou à ce qu'elle pourrait être.

5. a. Quand vous devez faire quelque chose, vous le faites tout de suite.

b. Vous avez souvent tendance à remettre les choses au lendemain.

6. a. Vous vous décidez toujours très rapidement, même dans les cas difficiles.

b. Vous avez souvent du mal à prendre des décisions, même pour des choses simples.

7. a. Vous êtes plutôt remuant : vous avez du mal à rester en place.

b. Vous êtes plutôt calme ; vous ne ressentez pas le besoin de bouger tout le temps.

8. a. Vous ne reculez pas devant l'effort quand vous pensez que ça peut améliorer les choses.

b. Vous vous contentez du statu quo quand ça demande trop de travail pour changer les choses.

9. a. Quand vous déléguez, vous ne pouvez pas vous empêcher de surveiller les choses pour que tout soit bien fait comme il faut.

b. Quand vous déléguez, vous n'y pensez plus ; vous faites confiance.

10. a. Vous vous ennuyez vite quand vous devez vous contenter de regarder quelque chose (un jeu, un spectacle, etc.) sans rien faire.

b. Vous pouvez passer des heures à regarder des gens faire quelque chose et y prendre du plaisir.

ACTIF OU NON ACTIF

Comptez le nombre de a et de b que vous avez obtenus.

Majorité de a : vous êtes « actif » (A).

Majorité de b : vous êtes « non actif » (nA).

ÊTES-VOUS « PRIMAIRE » OU « SECONDAIRE » ?

Voilà une liste d'affirmations différentes. Cochez chaque fois celle (a ou b) qui vous semble le mieux correspondre à votre personnalité.

1. a. Vous vous souciez toujours des conséquences lointaines de vos actes.

    b. Vous vous intéressez avant tout aux résultats immédiats.

2. a. Quand vous partez en vacances, vous essayez de tout prévoir et organiser à l'avance.

    b. Vous vous en remettez beaucoup à l'inspiration du moment.

3. a. Dans la vie, vous cherchez d'abord à vous conformer à vos principes.

    b. Vous préférez plutôt vous adapter aux circonstances.

4. a. Vous finissez toujours ce que vous avez commencé.

    b. Vous avez souvent tendance à ne pas aller jusqu'au bout des choses.

5. a. Vous êtes très stable dans vos sympathies ; vous fréquentez toujours les mêmes personnes.

    b. Vous changez souvent d'amis, de milieu.

6. a. Après une dispute, vous avez toujours du mal à faire comme si rien ne s'était passé, à oublier ou à pardonner ; vous êtes plutôt rancunier.

b. Vous vous réconciliez très facilement en cas de dispute et après vous n'y pensez plus ; vous n'êtes pas rancunier.

7. a. Vous avez des habitudes auxquelles vous tenez ; vous n'aimez pas les surprises, être obligé de changer de programme ou d'emploi du temps.

b. Vous détestez tout ce qui est routinier, prévu d'avance ; vous aimez bien les surprises.

8. a. Vous avez besoin de mener une existence régulière, d'ordre dans votre vie.

b. L'ordre vous ennuie ; vous avez besoin de fantaisie.

9. a. Vous avez tendance à faire des plans, des listes, des programmes (emploi du temps, activités, loisirs).

b. Vous préférez agir sans règle précise fixée à l'avance en fonction des circonstances et de votre humeur du moment.

10. a. Vous avez des idées et des opinions très arrêtées ; vous avez du mal à changer d'avis, vous vous entêtez facilement.

b. Vous avez vos opinions, mais vous êtes très ouvert ; vous vous laissez facilement convaincre ou séduire par la nouveauté d'une idée.

Primaire ou secondaire

Comptez le nombre de a et de b que vous avez obtenus.

Majorité de a : vous êtes « secondaire » (S).

Majorité de b : vous êtes « primaire » (P).

En combinant les trois facteurs précédents, vous obtenez votre caractère.

• E. A. P. (Émotif-Actif-Primaire) :
vous êtes un « colérique »

• E. A. S. (Émotif-Actif-Secondaire) :
vous êtes un « passionné »

• E. nA. P. (Émotif-non Actif-Primaire) :
vous êtes un « nerveux »

• E. nA. S. (Émotif-non Actif-Secondaire) :
vous êtes un « sentimental »

• nE. A. P. (Non Émotif-Actif-Primaire) :

vous êtes un « sanguin »

• nE. A. S. (Non Émotif-Actif-Secondaire) :
vous êtes un « flegmatique »

• nE. nA. P. (Non Émotif-non Actif-Primaire) :
vous êtes un « amorphe »

• nE. nA. S. (Non Émotif-non Actif-Secondaire) : vous êtes un « apathique »

Vous êtes « colérique »
Valeur dominante : l'action

Toujours en mouvement. Vous avez besoin de tension pour vous sentir vivre, donner le meilleur de vous-même. Des réactions émotionnelles fréquentes, très vives (vous piquez des crises pour un rien), mais peu durables. Optimisme, bonne humeur, vous manquez souvent de retenue (trop démonstratif, exubérant, enthousiaste, excessif, audacieux). N'hésitant jamais, décidant rapidement (revers de la médaille : vous n'admettez pas que vous pouvez vous tromper), vous êtes souvent un meneur.

Votre force
Socialement, vous ne doutez de rien (tout vous est possible, vous ne voyez pas l'obstacle...). Du coup, vous réussissez souvent (au culot, en surprenant, en intimidant...) là où d'autres n'oseraient même pas essayer.

Pour vous donner à fond
En apparence, vous êtes un battant, armé pour la compétition. Mais vos succès doivent toujours beaucoup à la chance ou à la faiblesse des autres. Apprenez à être patient (au lieu de décider et d'agir vite parce que vous ne savez pas attendre), à être prudent (au lieu de prendre des risques inutiles).

La bonne attitude avec vous
Prendre des gants : vous détestez être contrarié, devoir attendre ou qu'on vous dise non. Et éviter les rapports de force : loin de vous abattre, les désaccords et conflits vous stimulent et vous permettent d'imposer encore plus votre autorité. Donc ne jamais rien vous proposer qui ressemble à un choix radical, à des menaces ou à un ultimatum (« Ou, ou »). Non seulement, vous vous croyez toujours assez fort pour gagner sur tous les tableaux, mais en cas d'obstacle, vous avez tendance à foncer dans le tas (tant pis si cela doit provoquer un clash).

Vous êtes « passionné »
Valeur dominante : l'œuvre à accomplir

Ultra-accrocheur, très « concentré », vous êtes particulièrement armé pour la compétition sociale (ou amoureuse). Dominateur, apte au commandement, vous avez tendance à considérer la vie comme un parcours du combattant (jusqu'à présent, vous n'avez jamais fléchi). Ambitieux, vous ne rechignez pas à l'effort et plus les enjeux sont élevés (vous avez le bon sens de ne pas tenter l'impossible), plus vous êtes tenace.

Votre force
Une volonté très bien canalisée (la plupart du temps). Vous savez ce que vous voulez, cibler des objectifs, vous fixer des étapes (à moyen et à long terme); vous êtes capable de supporter, d'encaisser beaucoup, de rebondir après un échec.

Pour être plus efficace
Ancré dans vos décisions, vos choix, vous avez tendance à bloquer quand vous devez improviser (face à l'imprévu) ou dans les situations d'urgence. Apprenez à vous adapter (au lieu de vous obstiner contre vents et marées), à contourner les obstacles (au lieu de les prendre de front).

La bonne attitude avec vous
L'enthousiasme. Vous êtes quelqu'un qui s'engage à fond dans ce qu'il fait (vous pouvez même être parfois très monomaniaque ou obsessionnel) et vous ne supportez pas qu'il n'en soit pas ainsi pour les autres. Vous détestez les mous, les tièdes, les faibles, le manque de motivation, la paresse, le renoncement.

Vous êtes « nerveux »
Valeur dominante : le divertissement

Très changeant d'humeurs, d'idées, vous êtes un instable : peu constant dans vos affections (vite séduit, vite consolé), irrégulier dans votre travail (ne fait que ce qui lui plaît). Vous avez du mal à vous organiser, prendre des habitudes, suivre une routine. Sans cesse en quête de stimulations, de nouveauté, pour vous arracher à l'inactivité et à l'ennui.

Votre force
La mobilité (des émotions, des sentiments, des idées), l'aptitude au changement (vous vous adaptez sans difficulté à des situations, des activités, des milieux différents). Peu attaché aux choses et aux gens, vous ne souffrez pas beaucoup quand vous les perdez.

Pour être plus battant

Soyez moins indécis. En butte à un choix simple, vous passez des heures à peser le pour et le contre. Et ne cherchez pas tout le temps (vous les trouvez) de bonnes raisons pour ne pas agir.

La bonne attitude avec vous

Éviter les pressions. Trop de contraintes du monde extérieur, de problèmes, de complications, vous avez tendance à vous défiler : vous vous enfermez dans votre bureau, vos comptes, vous vous inventez des obligations extérieures pour disparaître. Au fond, vous n'êtes pas très adapté à la vie collective ; vous avez besoin de solitude pour vous ressourcer.

Vous êtes « sentimental »
Valeur dominante : l'intimité

Ultrasensible aux événements extérieurs (vous êtes un introverti, un timide), vous êtes vite atteint dans vos humeurs, vos sentiments. Souvent mélancolique, anxieux ou mécontent de vous-même, vous avez tendance à ruminer le passé. Peu à l'aise en société (ni le contact ni la parole faciles), vous renoncez facilement en cas de difficulté.

Votre force

Votre bonne volonté (vous cherchez toujours à bien faire), votre sérieux (vous faites souvent davantage et mieux que les autres), votre loyauté (pas d'embrouille).

Pour être plus top

Faites-vous plus confiance. Oubliez vos sentiments d'infériorité ou de culpabilité et décoincez-vous. Au début, vous serez sans doute un peu maladroit mais, très vite, vous saurez ce qui est bien pour vous et vous trouverez les attitudes justes (dans vos rapports avec les autres).

La bonne attitude avec vous
Vous rassurer (sur les événements, les intentions, les projets, l'avenir, etc.), car au fond, vous n'êtes pas fait pour l'action (trop de risques possibles), les changements. Vous avez une personnalité plutôt anxieuse : vous avez besoin de situations et de relations stables et durables.

Vous êtes « sanguin »
Valeur dominante : le succès social

Vous voulez beaucoup, vous voyez parfois grand (toujours dans vos cordes) mais vous ne vous attendez pas à ce que les cailles vous tombent toutes rôties dans les crocs : bûcheur (continuellement occupé), entreprenant. Assez opportuniste aussi (vous tirez rapidement parti des circonstances) et très sociable (un extraverti qui adore les mondanités), vous êtes très relationnel (bon observateur, poli, spirituel, diplomate).

Votre force
Ne jamais prendre les problèmes de front. Beaucoup de réflexion avant d'agir, de circonspection ensuite. Vous savez placer vos pions, prévoir les réactions, anticiper (toujours des scénarios de rechange pour vous adapter).

Pour être mieux perçu
Soyez plus spontané. Vous prenez souvent des moyens très détournés pour obtenir les choses alors que ce serait beaucoup plus simple de les demander. Résultat : vous passez pour un manipulateur, quelqu'un d'intéressé.

La bonne attitude avec vous
S'adapter au fur et à mesure que les choses évoluent (ne rien prendre au premier degré, ne rien considérer comme acquis). Pour vous, tout (les problèmes, les difficultés, les conflits) est d'abord un prétexte au jeu et à la débrouille (voire à l'embrouille).

Vous êtes « flegmatique »
Valeur dominante : la Loi

Respectueux des principes, pondéré, vous n'agissez jamais à la légère. Des réticences avant de vous engager (peu d'emballements), mais après c'est du sûr, de l'inébranlable : vous êtes aussi tenace que patient. Pour vous, une décision, une promesse (faite à vous-même ou aux autres), c'est sacré. Pas question de ne pas les tenir, de faire un caprice.

Votre force
L'inébranlable fermeté de vos décisions. Rien ne peut vous détourner de vos objectifs. Ni les difficultés (vous trouvez les moyens), ni le manque de soutien des autres (vous assumez vos responsabilités), ni les revers (vous récupérez vite après un échec).

Pour être plus efficace
En restant fidèle (envers et contre tout) à votre première décision, vous en devenez parfois esclave. Vous pouvez changer vos plans (quand c'est plus réaliste, plus profitable) sans vous sentir (inconsciemment) coupable ou menacé.

La bonne attitude avec vous
L'objectivité. Vous êtes quelqu'un de très distancié. Donc, on doit dépassionner (approches, débats, problèmes, etc.) et montrer autant de sang-froid que vous en toutes circonstances, car vous êtes souvent persuadé que les autres sont faits à votre image.

Vous êtes « amorphe »
Valeur dominante : le plaisir

Beaucoup d'intentions, de projets, qui restent au stade du velléitaire. Concrètement, vous manquez de suite dans les idées. Vous agissez sur un coup de tête (de cœur, de foudre…), mais, très vite, si vos premières tentatives ne sont pas couronnées de succès, vous abandonnez. Et, quand elles le sont, vous vous lassez. Résultat : vous n'allez au bout de rien.

Votre force
Vous êtes bonne pâte : toujours très disponible (même si vous faites souvent les choses en traînant les pieds), conciliant (pour ne pas vous créer de problèmes), tolérant (souvent par indifférence).

Pour avoir plus d'impact
Pensez plus boulot (ça n'a jamais tué personne et les satisfactions sont plus durables), moins plaisirs (toujours très éphémères). Et montrez-vous plus persévérant. Ne changez pas tout le temps (d'avis, de projet, de décision…).

La bonne attitude avec vous
Jouer sans cesse la carte de l'aventure nouvelle, il n'y a que ça pour vous intéresser, vous exciter, vous motiver (quelques heures ou quelques jours). Au fond, vous êtes quelqu'un de l'instant, qui donne peu de prises aux autres. Problèmes, crises, conflits, rien ne vous affecte profondément, durablement. Vous pouvez céder en apparence, dire oui à tout, mais quand l'orage est passé, vous êtes revenu à la case départ.

Vous êtes « apathique »
Valeur dominante : la tranquillité

Celle-ci peut prendre plusieurs formes. La procrastination : vous remettez systématiquement au lendemain ce que vous pouvez faire le jour même. L'idéalisme: objectifs inaccessibles (inutile d'essayer), attente de conditions optimales pour agir (tant que celles-ci ne sont pas réunies, elles ne le sont jamais, vous ne levez pas le petit doigt). Le pessimisme: vous dramatisez les difficultés (réelles) ou vous en imaginez pour ne rien faire.

Votre force
L'indifférence. Très en recul par rapport aux choses, plus tourné vers vous-même, vous êtes peu vulnérable aux événements extérieurs. Vous vous accommodez parfaitement de la solitude (très secret, taciturne).

Pour avoir plus de punch
Arrêtez de vivre dans le passé. Jetez tout ce qui vous encombre (les placards, la tête) et vous empêche d'avancer. Faites une liste de toutes vos habitudes et, tous les jours, changez-en une (au moins).

La bonne attitude avec vous
Aller dans votre sens pour arriver à vous infléchir. Vous êtes quelqu'un de très ancré dans vos certitudes et vos préjugés. Plus on essaie de faire pression, plus vous résistez et vous vous accrochez (à vos idées, vos projets, etc.). Donc tout ce qui ressemble à des confrontations ne marche pas.

VOTRE FORME D'INTELLIGENCE

On a tous une tête, mais on ne s'en sert pas tous de la même manière. Coudre un bouton ou pianoter sur un ordinateur, nous n'utilisons pas tous la même partie de notre cerveau pour le faire. Cela dépend de notre « préférence cérébrale ». De là, des manières de penser, de communiquer et d'agir différentes.

Dans les années 70-80, trois chercheurs du Département d'Ingénierie biomédicale de l'Université du Texas, N. Hermann, L. Schkade et A. Potvin, établissent une corrélation entre réponses données à un questionnaire psychologique et activation cérébrale. En étudiant 6 000 dossiers, validés par des mesures EEG (électroencéphalogramme), ils montrent que l'activité cérébrale est doublement polarisée (hémisphère droit/hémisphère gauche et système limbique/système cortical) et que nous avons tous un mode de fonctionnement privilégié. Ils distinguent ainsi quatre grands types mentaux : *limbique droit, limbique gauche, cortical droit* et *cortical gauche*. Chacun de ces types correspond à des choix d'activités spécifiques.

ÊTES-VOUS CERVEAU DROIT OU CERVEAU GAUCHE ?

Voici une série d'affirmations contradictoires. Cochez chaque fois celle qui vous semble le mieux correspondre à votre personnalité.

1. a. Vous êtes très ponctuel à vos rendez-vous ; vous arrivez même souvent en avance pour être sûr d'être à l'heure.

b. Vous n'êtes pas très ponctuel à vos rendez-vous ; vous êtes souvent obligé de vous presser pour ne pas avoir trop de retard.

2. a. Quand vous faites quelque chose, le monde peut s'écrouler autour de vous.

b. Même quand vous êtes très concentré, vous restez sensible à ce qui se passe autour de vous.

3. a. Vous avez besoin d'aller dans les détails pour comprendre (les choses, les idées, les situations, les relations…).

b. Vous comprenez plus facilement quand vous avez une vue d'ensemble.

4. a. Vous êtes plutôt perfectionniste quand vous faites les choses.

b. Vous vous contentez généralement de faire les choses bien, sans plus.

5. a. Vous ressentez le temps qui passe comme une succession d'instants.

b. Vous le ressentez plutôt comme quelque chose qui s'écoule.

6. a. Vous détestez être dérangé quand vous faites quelque chose ; vous vous énervez facilement quand on vous interrompt.

b. Ça ne vous gêne pas d'être dérangé dans votre travail ; vous vous énervez rarement.

7. a. Vous avez des convictions très fortes ; c'est difficile de vous faire changer d'opinion.

b. Vous avez rarement les idées très arrêtées ; vous êtes plutôt ouvert à la contradiction.

8. a. Vous êtes plutôt méticuleux, assez soigné, chez vous et sur vous.

b. Vous êtes un peu désordre dans votre manière de vivre chez vous et de vous habiller.

9. a. Vous avez besoin de savoir exactement ce que vous avez à faire pour être efficace.

b. Vous êtes plus efficace quand vous pouvez organiser votre travail vous-même.

10. a. Vous avez tendance à prendre facilement des habitudes, à avoir des idées fixes.

b. Vous changez souvent d'idées, de projets.

Votre polarité droite ou gauche

Compter vos a et vos b.

Majorité de a : vous êtes polarisé « hémisphère gauche ».

Majorité de b : vous êtes « hémisphère droit ».

L'hémisphère gauche

Centre du langage et de la parole, l'hémisphère gauche est aussi le siège de toutes nos capacités d'analyse et d'abstraction. Spécialisé dans tout ce qui est écriture, chiffres, calcul logique, plans, méthodes…, c'est lui qui nous permet d'avoir une approche rationnelle des situations et des événements, de penser et d'agir méthodiquement. Avec lui, on se soucie plus des détails que de l'ensemble, du fond que de la forme, on cherche des causes et des explications pour tout.

L'hémisphère droit

Centre visuo-spatial, l'hémisphère droit est le siège de la pensée en images. C'est l'univers des formes et des couleurs, de la compréhension et de l'expression non verbale. Spécialisé dans tout ce qui est reconnaissance de forme et perception spatiale, c'est lui qui nous permet de reconnaître les visages, d'identifier les choses au toucher, de voir en relief, d'entendre la musique, de rêver ou de nous y retrouver sur un plan ou une carte.

CARACTÉRISTIQUES MODALES
DES HÉMISPHÈRES DROIT ET GAUCHE

Cerveau gauche

Verbal
Utilise les mots pour
nommer, écrire, définir.

Analytique
Décompose les choses
étape par étape, élément
par élément.

Symbolique
Perçoit les choses en
tant que signes
d'autre chose.

Abstrait
Opère sur des qualités
et des relations isolées
du réel.

Temporel
Conçoit le temps comme
une succession d'instants.

Rationnel
Opère d'une manière
logique pour tirer
des conclusions.

Cerveau droit

Non verbal
Pense en images, donne
le ton à la voix.

Synthétique
Combine les choses,
les éléments ensemble
pour former des touts.

Analogique
Perçoit des similitudes
entre des choses
différentes.

Concret
Représente le monde
sensible (réel, ou
imaginaire).

Atemporel
Perçoit le temps comme
une durée continue.

Empirique
S'appuie sur l'expérience
sans tenir compte de
données formelles.

ÊTES-VOUS LIMBIQUE OU CORTICAL ?

Voici une série d'affirmations différentes. Cochez chaque fois celle qui vous semble le mieux correspondre à votre personnalité.

1. a. Vous vous attendrissez facilement sur le sort des autres.

b. Vous trouvez que les gens se mettent souvent dans tous leurs états pour pas grand-chose.

2. a. Vous êtes très sensible à votre cadre de vie et de travail.

b. Vous accordez plus d'importance au côté fonctionnel des choses.

3. a. Vous faites, en général, assez attention à ce que vous mangez.

b. Vous mangez d'abord pour vous nourrir.

4. a. Vous jugez plutôt les gens sur leurs sentiments, leurs intentions.

b. Pour vous, ce qui compte vraiment, ce sont les actes, leurs résultats.

5. a. Vous avez besoin de voir souvent vos amis.

b. Vous pouvez rester plusieurs semaines, voire plusieurs mois, sans voir vos amis.

6. a. Vous aimez jouer avec les enfants (même ceux des autres).

b. Vous avez du mal à partager leurs jeux (même avec vos propres enfants).

7. a. Vous avez besoin de sentir que les autres vous aiment bien.

b. Vous préférez qu'on vous respecte.

8. a. Pour vous, le plus important dans la vie, c'est d'aimer et d'être aimé.

b. Vous pensez qu'il y a parfois dans la vie des choses beaucoup plus importantes que l'amour.

9. a. Vous avez souvent besoin de temps pour vous décider, car vous ne voulez surtout pas vous tromper.

    b. Vous hésitez rarement avant de prendre une décision.

10. a. Vous avez du mal à vous séparer des gens, même quand vous pensez qu'ils ne vous font pas vraiment du bien.

    b. Vous n'avez pas de problème pour rompre quand vous le jugez nécessaire.

Votre polarité limbique ou corticale

Comptez vos a et vos b.

Majorité de a : vous êtes « limbique ».

Majorité de b : vous êtes « cortical ».

Le cerveau limbique

Le cerveau limbique, appelé aussi «cerveau viscéral», est le centre des émotions. Son rôle consiste à filtrer les informations extérieures (selon des critères simples, binaires : plaisir/déplaisir, punition/récompense, réussite/échec, intérêt/manque de motivation) avant de les transmettre (ou de les bloquer) au cortex. Dominant l'affectivité, il est essentiel à l'adaptation sociale (mécanismes d'empathie, d'intégration, d'appartenance à un groupe, sentiments de sécurité ou d'insécurité, pulsions d'attaque ou de défense, etc.).

Le cerveau cortical

Appelé aussi cortex, il est responsable de toutes les facultés cognitives et du contrôle des émotions (cerveau limbique) et des instincts (cerveau reptilien). C'est à ce niveau que toutes les informations provenant du monde extérieur (de l'intérieur aussi) sont reçues et traitées, les comportements organisés, les raisonnements élaborés, les actions décidées. C'est avec lui que nous sommes capables de faire des choix (bons ou mauvais), que nous accédons à la conscience.

LES QUATRE SECTEURS
DE RÉACTIVITÉ CÉRÉBRALE*

Système cortical
(la pensée)

Cortical gauche	**Cortical droit**
Logique	Créer
Analytique	Esprit de synthèse
Matheux	Artistique
Technique	Globaliser
Raisonnement	Conceptualiser

Polarité
gauche

Polarité
droite

Contrôlé	Contact humain
Conservateur	Émotif
Planification	Musical
Organisation	Spiritualité
Administration	Expression
Limbique gauche	**Limbique droit**

Système limbique
(les émotions)

*D'après Ned Hermann, *The creative brain*.

VOTRE TYPE MENTAL

Croisez votre polarité (cerveau droit ou gauche) précédemment définie, avec votre mode (limbique ou cortical), vous obtenez votre type mental dominant. Nota bene : comme on est rarement d'un type pur, vous pouvez aussi vous référer à votre type secondaire, surtout s'il n'y a qu'un ou deux points d'écart avec votre type dominant.

Le type cortical gauche
Votre forme d'intelligence : rationnelle

Vous avez une intelligence logique, qui donne la priorité à la réflexion, à l'analyse des faits et à la mesure quantifiée. Vous avez une approche très stratégique (des gens, des situations). Animé par une passion froide, pour vous, une seule chose compte : atteindre votre objectif (petit ou grand). Quand vous êtes fixé, vous êtes très concentré et très calculateur (vous prévoyez plusieurs coups d'avance).

Vos points forts

Le réalisme : devant une situation, un problème donné, vous êtes capable de rassembler les faits, de dégager l'important (où, quand, comment, combien), d'analyser les éventualités, d'établir des priorités, de trancher et d'agir (fermement et avec persévérance). Le goût de la performance : vous êtes conscient de votre valeur (vous ne comptez que sur vous) et vous vous battez pour montrer que vous êtes le meilleur.

Vos points faibles

Un côté « technocrate » : vous n'êtes pas assez sensible aux besoins, aux attentes et aux motivations des autres (vous croyez qu'il suffit d'en appeler à la raison, à l'objectivité pour que ça marche). Le manque de persuasion : vous ne savez pas ou mal convaincre (écouter, argumenter, remporter l'adhésion). Le niveau d'exigence : vous demandez un peu trop aux autres (efforts, résultats, etc.) et ça met la pression.

La bonne approche avec vous
• Aller droit à l'essentiel (vous n'aimez pas être dérangé) ; être bref et concis quand on a quelque chose à vous dire.

• Adopter une approche impersonnelle des problèmes ou des difficultés. Quand des sentiments ou des états d'âme sont en jeu, vous les présenter comme des faits à prendre en compte dans l'analyse du problème.

• Mettre en avant des considérations d'efficacité et de bénéfices. Ces deux notions sont fondamentales pour vous.

• Être objectif, logique, rationnel. En cas de décision à prendre par exemple, vous présenter le pour et le contre et vous proposer trois options possibles.

• Garder son calme en toute circonstance (vous êtes parfois très blessant sans même le faire exprès).

Vos + professionnels
• Vous vous souciez d'abord de rationalité.

• Vous êtes doué pour analyser les situations, même si vous ne savez pas, ou mal, concrétiser des solutions.

• Vous vous montrez consciencieux et fiable.

• Vous travaillez d'une manière rigoureuse et méthodique.

• Vous excellez dans tout ce qui est chiffres (statistiques, probabilités, etc.), systèmes.

• Vous privilégiez les compétences techniques plutôt que les valeurs personnelles.

• Vous savez coordonner et organiser le travail des autres (vous savez déléguer), mais vous ne savez pas ou mal gérer les conflits.

- Vous êtes très bien organisé, mais vous avez parfois du mal à faire face à l'imprévu et à vous adapter aux changements.

Vos filières d'excellence
L'ingénierie, l'informatique, la finance, la médecine, le marketing, le management, l'enseignement.

Vos loisirs
L'informatique, le bricolage, le travail du bois, le golf, les jeux de stratégie, les voitures (réparation et collections), les jeux de société, de logique, le modélisme, le softball, la chasse, les investissements financiers, le billard, l'observation scientifique, la chimie, la pharmacologie, le Trivial Pursuit, l'escalade.

Le type cortical droit
Votre forme d'intelligence : intuitive

Vous avez une intelligence visuelle qui privilégie le flair, l'imagination, l'esprit de synthèse. Votre inconscient travaille pour vous : vous comprenez vite (vous n'êtes pas obligé de tout analyser) et vous êtes doué pour établir des relations entre des choses qui, en apparence, n'en ont pas et créer du neuf (concepts, idées, images, formes…). Ce que vous aimez avant tout, ce sont les possibilités, les potentialités, ce qui n'est pas encore, et vous êtes très éclectique (goûts, centres d'intérêt, etc.).

Vos points forts
La capacité de recul : dans une situation donnée, face à un problème, vous pouvez recadrer, voir ce qu'il y a de bon, les opportunités, les possibilités offertes. La prise d'initiatives : vous ne vous contentez pas de réagir aux événements, vous proposez (des scénarios, des solutions, des idées, des méthodes auxquels les autres n'avaient pas pensé) et vous agissez. La souplesse : vous savez rester

efficace quand les choses changent ou évoluent (vous êtes capable de revoir votre copie et de vous adapter).

Vos points faibles

Le manque de méthode et d'organisation : les contingences matérielles, la logistique, la routine, ce n'est pas votre tasse de thé (vous êtes plus performant pour lancer des idées, des projets, que pour les gérer). Le côté « Yaka » ou « Faukon » : vous êtes ambitieux, vous voyez grand, mais vous sous-estimez le poids des habitudes (des autres), l'inertie des systèmes. L'adhésion (à un groupe, aux règles) : vous avez tendance à être très individualiste.

La bonne approche avec vous

• Rester dans les grandes lignes. Avec vous, on peut sauter les étapes intermédiaires et arriver très vite aux conclusions. Les détails (comme les explications point par point) vous font déconnecter (trop ennuyeux).

• Vous présenter les problèmes et les difficultés comme des opportunités. Faire valoir les nouvelles possibilités, les avantages futurs (vous vous projetez facilement).

• Resituer toujours les faits dans un contexte : ce qu'ils signifient, ce qu'ils montrent… Souligner l'originalité, la nouveauté, les potentialités.

• Vous proposer des solutions créatives. Quand vous avez le choix entre une méthode nouvelle aux résultats incertains, mais prometteurs, et les procédures habituelles, vous préférez presque toujours prendre le risque.

• Ne pas vous embêter avec les problèmes matériels, mais se montrer ferme en cas d'impossibilité, pour vous empêcher de virer au « Yaka, Faukon » et de perdre tout contact avec la réalité.

Vos + professionnels

• Vous jouez aisément avec idées, concepts et théories.

• Vous avez une bonne vue d'ensemble, mais vous négligez souvent les détails.

• Vous êtes doué pour faire la synthèse des informations (même disparates).

• Vous savez (d'instinct, d'expérience) ce qui va marcher.

• Vous excellez dans les stratégies et projets à long terme.

• Vous faites d'abord marcher votre imagination (créativité, innovations).

• Vous savez faire face à l'imprévu, prendre des risques et vous adapter aux changements.

• Vous résistez bien à l'échec.

Vos filières d'excellence
La photographie, la musique, l'artisanat, le cinéma, l'urbanisme, la psychologie, le journalisme, le graphisme (presse, packaging des produits, sites, jeux vidéo, livres, etc.), la psychologie, la création (pub, scénarios, bijoux, vêtements, etc.)…

Vos loisirs
La photo, le cinéma, le théâtre (acteur et spectateur), l'aérobic, la marche à pied, l'observation des oiseaux, les activités artistiques, l'artisanat, la bicyclette, les jeux vidéo, le ski, les puzzles, les mots croisés, la pêche sous-marine, le deltaplane, l'équitation, la musique, le shopping, l'urbanisme, les musées et monuments.

Le type limbique gauche
Votre forme d'intelligence : sensorielle

Vous avez une intelligence sensorielle, qui privilégie le concret, l'organisation et le contrôle. Ce qui vous intéresse avant tout, ce sont les faits (mesurables et vérifiables). Comme saint Thomas, vous croyez ce que vous voyez et vous devez voir (et toucher) pour croire. Vous êtes particulièrement doué pour l'expérimentation, la recherche.

Vos points forts

Le bon sens : abordant les problèmes de façon pratique, réaliste, vous êtes doué pour trouver des solutions concrètes, efficaces. L'objectivité : dans une situation, en cas de difficulté, vous êtes capable de dépassionner et de relativiser pour faire les choix appropriés. La rigueur : vous êtes organisé (dans vos idées, votre travail), méthodique, discipliné (vous faites ce qu'il faut quand il faut), vigilant (vous traquez l'erreur, la faute, le défaut caché).

Vos points faibles

Le manque de vision globale : le nez dans le guidon, vous avez du mal à prendre du recul, de la hauteur, à vous projeter (vous excellez plus dans les réalisations à court terme qu'à long terme). La difficulté d'adaptation : vous avez vos habitudes, vos méthodes, votre routine, vous avez du mal en cas d'imprévu, de changement (de programme, d'environnement, d'interlocuteur). Le manque de souplesse : vous êtes trop tatillon (sur les règles, les procédures) et parfois un peu trop rigide (vous faites passer les principes, les règles avant les personnes).

La bonne approche avec vous

• Parler concret (faits précis, mesurables, vérifiables, prouvés). Puisque vous êtes comme saint Thomas...

• Se monter direct : nature exacte de la situation, des problèmes ou des difficultés, leçon des expériences passées, etc. N'omettre aucun détail : pour vous, tout est important.

• Mettre en avant les bénéfices (efficacité, résultats) immédiats. Les possibilités et les spéculations sur l'avenir ne vous intéressent pas ou peu.

• En cas d'explication, ne pas sauter une étape. Argumenter pas à pas, point par point, exemples à l'appui et fréquents retours en arrière si nécessaire pour être certain d'être bien compris.

• Être clair : pas de second degré, d'insinuations, car vous prenez les mots au pied de la lettre.

Vos + professionnels
• La recherche d'efficacité (la vôtre et celle des autres) ; vous êtes très doué pour concrétiser les idées.

• Vous vous montrez consciencieux et fiable quand on vous confie une tâche.

• Vous savez travaillez d'une manière rigoureuse et méthodique.

• Vous avez une très grande puissance de travail et de concentration.

• Vous savez coordonner, organiser le travail des autres quand c'est nécessaire, mais vous avez tendance à vous impatienter en cours d'exécution.

• Vous avez du mal à déléguer des responsabilités (vous préférez faire les choses vous-même, à votre manière).

• Vous savez lancer des projets, mais vous excellez plus dans les réalisations à court terme qu'à long terme.

• Vous vous sentez particulièrement à l'aise dans les tâches de routine.

• Vous n'aimez pas trop les imprévus, encore moins les conflits.

• Vous êtes stable, mais vous traînez des pieds quand on vous impose des changements.

Vos filières d'excellence
L'architecture, la mode (stylisme, achats), le sport, la gestion, le dessin industriel (design, cartes, plans...), le paramédical (pharmacien, kiné, esthétique), la logistique, le contrôle de qualité.

Vos loisirs
La botanique (herbier), le ping-pong, le jogging, les jeux de cartes, les jeux de hasard, la coupe du bois, le canotage, le tennis, la méditation, l'humour (raconter des blagues), la pêche, la gymnastique, le bowling, la cuisine (recettes), le ménage.

Le type limbique droit
Votre forme d'intelligence : affective

Vous avez une intelligence relationnelle, basée sur les émotions, les sentiments, l'empathie, la convivialité. Pour vous, ce qui compte d'abord, ce sont les personnes, leurs valeurs, les relations (autant que possible harmonieuses), la sensibilité. Vous êtes un grand amoureux de la vie (des autres, mais aussi de la nature, des choses et des bêtes).

Vos points forts
Le sens des interactions individuelles : vous percevez et vous réagissez bien aux besoins et aux désirs des autres, vous avez conscience de votre propre impact sur eux. L'esprit de groupe (et d'équipe) : même en l'absence d'intérêts personnels directs, vous êtes capable d'aider, de soutenir, d'être solidaire. Le sens du dialogue : vous n'imposez jamais, vous cherchez toujours à convaincre, en encourageant les autres à s'exprimer (même quand vous n'êtes pas d'accord avec eux).

Vos points faibles
Une certaine crédulité : vous avez tendance à trop vous fier aux autres quand vous les trouvez sympathiques (vous

croyez tout ce qu'ils vous racontent et vous ne vérifiez pas). Le manque de décision : vous voulez être trop consensuel (plaire, arranger tout le monde, ne contrarier personne), alors, vous ne prenez pas vos responsabilités (et les choses n'avancent pas). Le manque de productivité : comme vous donnez toujours la priorité à l'humain, vous perdez beaucoup de temps, vous êtes moins efficace, moins « rentable ».

La bonne approche avec vous
• Établir d'abord un contact personnel et chaleureux (en rajouter dans les salamalecs). Pour vous, ce qui prime, c'est la relation, le besoin d'harmonie.

• Être toujours très attentif à votre comportement non verbal (au sien propre également). Vous êtes beaucoup plus sensible à la façon dont les choses sont dites qu'à ce qui est dit.

• Vous présenter les faits, les problèmes en insistant sur le facteur humain. Chercher les points d'accord et vous proposer des solutions consensuelles.

• En cas de décision à prendre, souligner les valeurs qui sont en jeu, les éventuelles réactions des personnes concernées.

• En cas de critique (justifiée), prendre des gants (des moufles même). Quand on vous attaque de manière trop directe, cela provoque des réactions de blocage ou de rejet.

Vos + professionnels
• Vous recherchez d'abord la convivialité.

• Vous vous montrez la plupart du temps sympathique, chaleureux, enthousiaste.

• Vous savez travailler en équipe (aider, motiver, stimuler les autres).

• Vous êtes généralement de bon conseil ; vous savez arbitrer, gérer les conflits.

• Vous êtes très doué pour mener des négociations.

• Vous résistez plutôt bien à l'échec et au stress.

• Vous êtes capable de faire face à l'imprévu et de vous adapter aux changements.

• Vous gérez bien l'immédiat, mais vous avez parfois du mal à concevoir des stratégies ou des projets à long terme.

Vos filières d'excellence

Les ressources humaines, la formation, le tourisme, la décoration, la littérature (romans), l'environnement (paysagisme), le social, l'enseignement (école, collège), la communication, les relations publiques, la magistrature (avocat, juge des affaires familiales).

Vos loisirs

La création littéraire, la lecture, les collections, la couture, le tricot, les voyages, les activités religieuses, la gastronomie, les discussions avec des amis, le chant choral, les jeux avec les enfants, la musique (écouter), la solidarité (aider les autres).

VOTRE ESTIME DE SOI

« C'est un grand défaut que de se croire plus que l'on n'est et
de s'estimer moins que l'on ne vaut. »

Goethe, *Maximes et réflexions.*

*Une bonne estime de soi (ni trop ni trop peu), c'est essentiel
pour être bien dans sa tête et dans sa peau. Quand on ne
s'aime pas, pas assez ou pas vraiment, on aime mal, on travaille mal. Quelle valeur avez-vous (à vos yeux)? Comment
la renforcer? Le questionnaire suivant est destiné à évaluer le
niveau (haut ou bas) et la forme (stable ou instable) de votre
estime de soi. Cochez chaque fois que vous vous reconnaissez
dans la liste suivante.*

❑ Chaque fois que vous essayez de perdre du poids (ou
d'arrêter de fumer), ça rate.

☑ Vous enviez vos amis quand ils vous parlent de leur travail,
vous racontent leurs vacances ou leurs conquêtes.

❑ Dans les soirées, les fêtes, vous vous demandez fréquemment ce que vous faites là.

❑ Vous avez souvent l'impression de ne pas être pris au
sérieux (surtout par votre patron).

❑ Vous doutez souvent sans raison de la fidélité de vos partenaires sexuels.

❑ À l'école, vous étiez catalogué parmi les « chouchous à
lunettes » et persécuté par vos petits camarades.

❑ Vous vous demandez souvent ce que les autres vous trouvent d'intéressant.

❑ Comme Paco Rabane, vous êtes persuadé que l'Apoca-
lypse aura bien lieu un jour, peut-être bientôt.

❑ Vous êtes tatoué (en vrai) ou piercé (ailleurs qu'aux oreilles
pour les femmes).

☑ Vous avez tendance à manger ce qui vous tombe sous la
main (et/ou très vite).

❑ Vous avez toujours un mal fou à rompre (avec un petit ami, une maîtresse, un patron, une vieille tante…), même quand vous savez que cette relation vous fait du mal.

❑ Vous dites presque toujours « non » quand on vous propose une partie de Monopoly (ou de Trivial Pursuit, de Cluedo, etc.).

☑ Vous avez le sentiment de refaire toujours les mêmes erreurs.

❑ En société, vous avez souvent peur de passer pour une idiote (ou un crétin).

❑ Vous pensez souvent que vous n'avez pas vraiment le choix.

❑ Vous utilisez un autre prénom ou un autre nom que celui qui est inscrit sur votre passeport.

❑ Vous êtes végétarien (ou vous pensez sérieusement le devenir).

❑ Vous ne faites que travailler ; vous n'avez pas, ou peu, de vie à côté.

❑ Vous avez déjà fait l'amour sans préservatif alors que vous vous n'étiez pas sûr de votre partenaire.

❑ Au bureau ou en week-end avec les copains, vous vous tapez souvent toutes les corvées.

❑ Beaucoup de gens vous ont déçu.

❑ Vous pensez que quelqu'un vous en veut en ce moment.

❑ Vous ne comptez plus les vêtements, les livres ou les CD que vous avez prêtés et qu'on ne vous a pas rendus.

☑ Après un succès, vous avez toujours un petit coup de déprime ou un sentiment de culpabilité.

❑ Vous faites souvent des migraines.

☑ Vous éprouvez fréquemment le sentiment d'être seul ou incompris.

❑ Vous buvez de l'alcool (plus d'un verre) tous les jours.

❑ Vous n'arrivez pas à regarder quelqu'un dans les yeux plus de trois secondes d'affilée.

❏ Vous êtes souvent sorti avec des hommes ou des femmes qui ne vous plaisaient pas vraiment.

❏ Vous faites partie d'une secte.

❏ On vous reproche souvent d'être trop sarcastique ou d'avoir l'air méprisant.

❏ Vous avez tendance à bredouiller ou à faire des plaques rouges quand vous êtes ému ou énervé.

❏ Vous pensez que vos succès doivent beaucoup à la chance.

❏ Vous ne supportez pas de faire la queue au cinéma ou d'attendre chez votre dentiste.

❏ Vous ne vous disputez jamais avec personne (ou alors toujours avec tout le monde).

❏ Vous trouvez que vos amis sont nettement plus jolis, intelligents ou cultivés que vous.

☑ Après un échec (sentimental, professionnel…), vous avez tendance à ruminer (longuement).

❏ Vous avez subi des abus sexuels dans votre enfance ou votre adolescence.

❏ Quand vous avez un rendez-vous important, vous passez des heures à choisir vos vêtements.

❏ Vous êtes très dépensier (ou, au contraire, très économe).

☑ Vous avez tendance à vous effondrer quand on vous fait une critique que vous trouvez imméritée.

☑ Les changements (habitudes, travail, environnement…) vous stressent.

❏ Quand vous achetez des fringues, souvent après vous regrettez.

❏ Vous êtes plutôt pessimiste quand vous pensez à votre vie demain (et dans le futur).

☑ Vous avez déjà fait une tentative de suicide (même pour faire semblant).

❑ Vous n'avez pas votre permis de conduire (si plus de 18 ans).

☑ Vous avez tendance à renoncer rapidement en cas de difficultés ou d'opposition.

❑ Vous passez plus de 18 heures par semaine devant la télé (et vous ne travaillez pas dans les médias).

❑ Vous allez souvent (plus d'une fois dans l'année) consulter une voyante, un astrologue.

❑ Vous n'êtes pas très à l'aise avec les gens qui n'ont pas la même couleur de peau que vous (et les inconnus en général).

❑ Vous avez déjà commencé une psychothérapie et vous ne l'avez pas terminée.

❑ Vous avez du mal à pardonner (une erreur, une faute) ; vous êtes très rancunier.

❑ Quand vous prenez le train, vous arrivez toujours à la gare au moins une heure avant le départ.

❑ Vous trouvez que vous avez un défaut physique (seins trop gros ou trop petits, pénis trop petit, etc.).

❑ Vous avez le trac quand vous devez parler (au bureau, dans un dîner, une réunion) devant plus de deux personnes.

❑ Vous détestez vos propres odeurs de transpiration.

☑ Quand vous vous projetez dans quatre-cinq ans, vous n'avez pas une idée assez précise de ce que vous voulez être et faire.

☑ Quand on veut vous confier de nouvelles responsabilités dans votre travail, vous vous demandez tout de suite si vous serez à la hauteur, si vous n'allez pas montrer vos limites.

❑ Quand vous êtes malade, il y a souvent des complications.

❑ Vous ne supportez pas qu'on vous chambre.

❑ Vous vous rongez les ongles depuis la maternelle (première section).

VOTRE ESTIME DE SOI

Comptez un point chaque fois que vous avez coché et reportez-vous au profil correspondant.

DE 0 À 14 POINTS
Votre estime de soi : haute et instable

A priori, vous avez une vraie assurance, beaucoup d'aplomb, de conviction. Vous n'avez pas peur de regarder les gens dans les yeux, de dire tout haut, tout fort, ce que vous pensez, ce que vous voulez. On se dit : « Celui-là, il est sûr de lui ». Vous obtenez beaucoup parce que vous avez conscience de votre valeur et un réel désir de succès (vous consacrez beaucoup d'énergie à votre autopromotion). Vous ne craignez pas d'entrer en compétition. Ce n'est pas grave si ça rate, votre confiance en vous-même reste intacte tant que vous pouvez justifier votre échec. Mais, comme vous avez une image très idéale de vous-même, vous êtes aussi très vulnérable face au jugement des autres : vous êtes très sensible aux critiques (vous cherchez toujours à vous défendre et à vous justifier, même sur des choses mineures).

Comment la protéger
Acceptez vos défauts et faiblesses. Comme tout le monde, vous n'êtes pas parfait, alors relativisez. Ne gaspillez pas vos énergies, n'épuisez pas votre moral pour être au top niveau ou pour « réparer » vos défauts. Vous n'avez pas l'oreille musicale, laissez tomber les cours de piano. Vous ne vous entendez pas bien avec les ordinateurs, revenez au papier-crayon. Si vous n'êtes pas très ambitieux, ne vous forcez pas à le devenir. Quand on s'efforce de réparer un défaut, de développer une capacité pour laquelle on n'est pas doué, on peut bien sûr s'améliorer, mais on fait beaucoup d'efforts pour des résultats qui n'en valent pas la peine. En vous obsédant sur ce qui ne va pas chez vous, vous mettez

parfois à mal votre ego et vous perdez un temps précieux que vous pouvez utiliser plus efficacement en exploitant vos vrais talents. En revanche, en vous focalisant sur vos seules qualités, vous brossez votre ego dans le bon sens du poil et vous avez de plus grandes satisfactions. Vous ne perdez plus votre temps à vous tracasser pour vos erreurs et vous ne réagissez pas émotionnellement chaque fois que quelqu'un vous fait une réflexion ou un reproche. Au fond de vous, vous savez que vous êtes capable de faire face et de rebondir en toutes circonstances.

DE 15 À 29 POINTS
Votre estime de soi : haute et stable

Au fond, vous avez une très bonne image de vous, ni trop haute (vous ne croyez pas que les choses vous sont dues), ni trop basse (vous n'êtes pas paralysé par le trac ou la peur de l'échec). Vous connaissez votre vraie valeur et vos limites. Du coup, vous n'en faites jamais trop ni trop peu. Vous savez jusqu'où vous pouvez aller, les risques que vous pouvez prendre, quand vous devez décrocher. Vous obtenez beaucoup parce que vous ne vous racontez pas d'histoire et que vous ne trichez pas avec les autres (vous n'avez pas besoin d'être « exceptionnel » ou parfait pour être apprécié et respecté).

Une assez bonne stabilité émotionnelle aussi : vous êtes peu sensible au qu'en-dira-t-on et vous prenez les critiques et les compliments des autres pour ce qu'ils sont (constructifs, hargneux, bienveillants, intéressés…).

Comment l'entretenir
Revivez vos succès. L'estime qu'on a pour soi varie forcément en fonction des circonstances. Vous avez un creux de forme, des problèmes dans votre couple ou dans votre travail, vous devenez vulnérable : vous vous aimez moins que d'habitude. Votre ego est trop souvent malmené pour une

raison ou une autre (par exemple, vos talents et vos mérites ne sont pas appréciés à leur juste valeur) : vous vous mettez à douter. Vous vous tracassez pour les erreurs que vous avez pu commettre. Les réflexions désagréables, les critiques et les reproches (ceux des autres comme ceux que vous vous faites à vous-même) deviennent plus « accrocheurs » et risquent de vous « marquer » plus durablement si vous ne faites rien pour compenser. Comment ? En vous repassant régulièrement le film de vos succès des dernières semaines ou des derniers mois. Pensez à tout ce que vous avez fait de bien, les choses importantes comme les petites. Revivez tous les moments où vous vous êtes senti performant, envié, apprécié. Et célébrez-les aussi (même si vous l'avez déjà fait). Invitez un bon copain ou une bonne copine pour aller faire un gueuleton, sortez vos vieux amis et une bouteille de champagne. Revivre ses succès, se faire plaisir, faire plaisir autour de soi, c'est le meilleur moyen pour entretenir son estime de soi.

DE 30 À 44 POINTS
Votre estime de soi : basse et stable

Avez-vous été « démoli » par des parents dévalorisants qui vous serinaient « Tu es ridicule (idiot, incapable, bon à rien…) », « Je ne peux pas te faire confiance (compter sur toi…) » ? Est-ce le fait d'être une femme ? Vous avez beau faire jeu égal avec les hommes (souvent mieux), dans votre tête, vous êtes toujours le deuxième sexe. On vous a appris l'humilité, la modestie, à ne pas la ramener. Ou encore, avez-vous été traumatisé par un gros échec ? En tout cas, votre estime de soi aujourd'hui est plutôt basse. Vous pensez que vous ne valez pas grand-chose (humainement) et vous attribuez plus souvent vos succès à la chance ou à l'indulgence des autres qu'à vos propres mérites. Peur de ne pas être à la hauteur, vous laissez souvent passer les chances que vous offre la vie (vous ratez ou vous renoncez).

Comment la renforcer

Commencez par arrêter de vous dévaloriser. Quand vous rendez un travail, ne le présentez pas en disant « J'ai fait ce que j'ai pu ». Ou, plus subtilement dégradant : « Un autre aurait sans doute fait mieux. » Les gens se demandent s'ils ne feraient pas mieux de vous éviter car, en vous dévalorisant, vous les dévalorisez (« Vous êtes vraiment nul d'avoir choisi un nul comme moi ») et vous renforcez l'image négative que vous avez de vous-même. En revanche, respectez-vous, les autres vous respectent. Ils vous écoutent plus attentivement, vous prennent au sérieux. Vous devenez plus crédible, plus « méritant ». On ne vous matraque pas chaque fois que vous faites une gaffe. Et quand vous avez un message important (augmentation, promo…) ou une idée à faire passer, on vous prête une oreille plus bienveillante. Résultat : beaucoup plus de gratifications tangibles et de satisfactions effectives qui vous dopent l'ego et font remonter votre propre estime de soi.

45 POINTS ET +
Votre estime de soi : basse et instable

Est-ce le fait d'une enfance particulièrement difficile (abandon parental, expériences physiques et/ou psychologiques traumatisantes) ? Ou les séquelles d'une différence personnelle perçue depuis longtemps comme une infériorité (« défaut » esthétique, appartenance à une minorité socioculturelle, à un milieu défavorisé, etc.) ? Ou encore, un grave échec (professionnel, sentimental) dont vous ne vous êtes toujours pas remis ? En tout cas, aujourd'hui, votre estime de soi est à la fois très basse (vous ne vous sentez pas vraiment digne de considération ni de respect) et très fragile (vous êtes dépressif, phobique ou vous risquez de le devenir) : vous êtes dans une spirale de l'échec.

Comment la réparer

Dans votre état actuel, vous ne pouvez pas espérer vous « réparer » tout seul, vous avez besoin d'être aidé psychologiquement (par un thérapeute). Mais, en attendant de consulter, commencez par éliminer vos propres messages négatifs. La vie est ainsi faite que tous les jours, nous sommes bombardés de messages négatifs. Enfant, vous avez été soumis aux jugements défavorables de votre entourage. Adulte, vous subissez comme tout le monde des critiques et des reproches. Tous ces messages négatifs, actuels ou passés, vous programment pour penser et agir en fonction de la bonne ou de la mauvaise opinion que les autres vont ou peuvent avoir de vous. Vous les avez intégrés sous la forme de commandements. Obligez-vous à en faire une liste aussi complète que possible: « Je devrais.../Je ne devrais pas... », Il faut que je.../Il ne faut pas que je... », Je suis obligé de.../Je dois... ». Quand vous avez terminé, remplacez « devrais » par « pourrais », « Il faut que je... » par « Je pourrais... » et « Je dois... » par « Je souhaite... ». Ensuite, vous pouvez faire un tri. Gardez tout ce qui correspond à vos propres valeurs, à vos convictions, ce qui est bon pour votre cote d'amour personnel. Jetez le reste. En éliminant vos propres messages négatifs, vous échappez aux tentatives de manipulation des autres et à vos propres tentatives (inconscientes) d'autosabotage.

VOTRE INTELLIGENCE ÉMOTIONNELLE

Aujourd'hui, l'intelligence émotionnelle, le QE, fait jeu égal avec le QI. Aux États-Unis, le slogan à la mode, c'est « IQ gets you hired, but EQ gets you promoted » (Avec votre QI vous êtes embauché, avec votre QE, vous êtes promu).

Et il est difficile de faire un bilan personnel, sans une évaluation fine de l'intelligence émotionnelle. Cela pour plusieurs raisons :

• Quand on échoue dans son job, c'est plus souvent à cause de problèmes émotionnels que par manque de compétences techniques (conclusion d'une étude réalisée aux États-Unis et en Europe par le Center for Creative Leadership).

• Dans une entreprise, les meilleurs sont toujours ceux que leurs qualités personnelles placent au centre des réseaux de communication et d'influence qui se créent dans les moments de crise ou d'innovation.

• C'est le meilleur moyen pour limiter les « dérapages » (cadres qui « craquent », démissions, abus d'alcool ou de psychotropes, conflits internes…), un outil indispensable pour la prévention et la gestion du stress dans l'entreprise et les équipes.

Ce questionnaire (voir pages 70 à 72) est destiné à évaluer votre intelligence émotionnelle d'un point de vue quantitatif et qualitatif. Cochez chaque fois que vous vous reconnaissez dans la liste des affirmations suivantes.

☑ Vous avez tendance à rougir, faire des plaques rouges ou bredouiller quand vous êtes ému ou énervé. ■

❑ Vous pensez que vos succès doivent beaucoup à la chance. ▲

☑ Vous avez souvent le cœur qui s'emballe (au propre et au figuré). ■

❑ Vous avez souvent honte pour des choses pourtant sans importance. ■

❑ Vous avez le trac quand vous devez parler devant plus de deux personnes. ❊

☑ Vous êtes meilleur à l'écrit qu'à l'oral. ❊

☑ Vous avez souvent des impressions de « déjà vu ». ▲

❑ Vous pensez qu'il y a quelque chose dans votre corps qui ne va pas (seins trop gros ou trop petits, pas assez de muscle, petit pénis, etc.). ❊

❑ Vous avez souvent peur de mal faire. ❊

❑ Vous êtes mal à l'aise quand un chat rode près de vous. ❊

☑ Vous préférez travailler tout seul (plutôt qu'en équipe), dans un bureau fermé (plutôt que paysager). ▲

❑ Il vous est arrivé (au moins trois fois) de rêver que vous étiez nu (ou à moitié nu) en public. ◆

❑ Vous trouvez que vos amis sont nettement plus jolis, intelligents ou cultivés que vous. ▲

☑ Vous êtes enfant unique ou l'aîné. ◆

❑ Vous êtes facilement nauséeux en voiture. ❊

❑ Vous avez déjà fait des crises de nerfs ou de tétanie. ■

☑ Vous avez tendance à bredouiller quand on vous pose des questions personnelles très directes. ■

❑ Vous piquez souvent des fous rires nerveux. ■

❑ La veille d'une épreuve (examen, entretien d'embauche...), vous n'arrivez pas à dormir (ou vous vous réveillez à 5 heures du matin). ❊

❑ Vous faites souvent des migraines. ◆

❑ Vous éprouvez fréquemment le sentiment d'être seul ou incompris. ◆

❑ Vous avez les mains souvent un peu moites ou très froides. ■

❑ On vous a souvent dit : « Laisse les autres parler. » ◆

❑ Vous n'arrivez pas à regarder quelqu'un dans les yeux plus de trois secondes d'affilée. ■

☑ Vous êtes mal à l'aise quand vous sentez que quelqu'un vous observe. ■

❑ On vous reproche souvent d'avoir l'air trop sarcastique (et/ou méprisant). ◆

☑ Vous diriez non si on vous demandait de participer à un jeu télé (même si on vous offrait 5 000 euros pour ça). ▲

❑ Quand vous devez prendre un train, vous arrivez toujours à la gare au moins une heure avant le départ. ✳

❑ Vous refusez chaque fois qu'on vous invite à une fête (d'ailleurs on ne vous invite pas ou plus). ▲

☑ Vous prenez plutôt mal les critiques. ◆

❑ Vous avez déjà « cafté » (souvent), pas forcément pour nuire, plutôt pour vous faire bien voir. ◆

❑ Dans votre petite enfance, vous avez fait des crises de somnambulisme. ▲

☑ Vous ne supportez pas les chatouillis (ça vous rend complètement hystérique). ■

❑ Vous n'êtes pas très à l'aise avec les gens qui n'ont pas la même couleur de peau que vous (et les inconnus en général). ✳

❑ Vous avez déjà eu l'impression d'être « sorti » de votre corps. ▲

❑ Vous avez du mal à pardonner (une erreur, une faute) ; vous êtes assez rancunier. ◆

❑ Vous éprouvez peu, ou pas du tout, de désir sexuel. ▲

❑ Vous admirez les actrices (ou vous les trouvez toutes nulles) ; idem pour les acteurs si vous êtes un garçon. ◆

❑ Vous ne vous disputez jamais avec personne. ▲

❑ Vous êtes physiquement très trouillard ; vous avez souvent peur d'être agressé, de vous blesser ou de vous intoxiquer en mangeant un truc pas sain. ✳

Votre QE

Comptez le nombre de carrés que vous avez cochés et reportez-vous au profil correspondant.

Moins de 11,5/20
Vous avez un QE « élevé »

Chez vous, le rationnel et l'émotionnel sont plutôt bien équilibrés. Vous avez tous les ingrédients (conscience de soi, de son impact sur les autres, empathie, *self-control*, etc.) et le bon dosage pour être bien dans votre peau et avoir des relations fluides avec les autres. Vous êtes a priori capable de compréhension et de patience, mais aussi de maîtrise dans les moments ou avec des gens difficiles. Vous savez vous raisonner et rester calme (et optimiste) même quand vous êtes confronté à des épreuves pénibles. Mais, quand il s'agit d'émotions, même les plus flegmatiques craquent parfois (il suffit d'une fois). Qu'est-ce qui se passe quand vous perdez votre calme ? Quelle faiblesse montrez-vous ? Comptez les différents symboles que vous avez récoltés et reportez-vous au paragraphe correspondant.

11,5/20 ET PLUS
Vous avez un QE « bas »

Pas de doute, chez vous l'émotionnel (impressions, sensations, impulsions, etc.) vient souvent perturber le rationnel (le jugement, la prise de décision, etc.). Et, inversement, vos sentiments sont souvent mis à mal par votre « logique ». Vous avez souvent une mauvaise appréciation des gens et des situations, et des réactions excessives (en positif ou en négatif). Dans la vie quotidienne, ça ne vous pose pas trop de problèmes, mais dans les situations critiques (fortes pressions, conflits, etc.), vous avez tendance à déraper. De quelle manière et comment y remédier ? Décomptez vos différents symboles et reportez-vous au profil correspondant.

MAJORITÉ DE ◆ 2
Votre faiblesse : l'arrogance

En apparence, beaucoup d'aplomb, d'audace. Vous n'avez pas peur de regarder les gens dans les yeux, de dire tout haut, tout fort, ce que vous pensez, ce que vous voulez, d'entrer en conflit. Vous osez où les autres n'osent pas (vous en faites même souvent un peu trop). On se dit : « Celle-là (ou celui-là), elle ne se prend pas pour rien, elle est sûre d'elle. » Mais au fond, vous êtes timide.

Votre problème : un surmoi (les interdits des parents intériorisés) dominateur. D'où de forts sentiments de culpabilité (« je ne peux pas montrer que j'ai peur de ne pas être à la hauteur ») et l'affirmation d'une fausse supériorité. Celle-ci se manifeste par des conduites méritantes (en voulant toujours faire plus ou mieux que les autres) ou accusatrices (en critiquant tout le temps, en faisant la morale). Ce qui donne des rapports avec les autres (dans le couple, la famille, le travail…) assez conflictuels :

vous vous excluez d'emblée (en boudant) ou vous vous disputez souvent.

Stratégie de renforcement

Efforcez-vous d'être plus sincère avec vous-même et les autres. Ne vous faites pas passer pour quelqu'un que vous n'êtes pas. Vous n'avez pas besoin d'être le meilleur, zéro défaut, pour être apprécié, aimé. N'ayez pas peur d'avouer vos faiblesses (*moderato* quand même). Ça vous rend plus sympa (ça gomme votre côté distant, hautain, voire arrogant) et on vous pardonne plus facilement en cas d'erreur (qui n'en commet pas ?). Arrêtez aussi de dire tout le temps « je » ou, pire, « moi, je ». Vous devez apprendre à écouter les gens (sans les juger), à les encourager à parler d'eux. La prochaine fois que vous voyez quelqu'un, par exemple, obligez-vous à lui poser au moins cinq questions sur lui-même.

MAJORITÉ DE ■

Votre faiblesse : l'hypersensibilité

Chez vous, tout est amplifié. Les gens : vous êtes paralysé par le trac, vous avez peur de dire des choses stupides ou de faire une gaffe, de vous mettre à bredouiller devant une fille, à rougir devant un mec ou à pleurer bêtement sans raison. Les événements : vous surestimez toujours les difficultés, les dangers, les risques. Du coup, vous paniquez dès que vous êtes obligé de vous mettre en avant (par exemple, présenter un exposé devant trente personnes) et vous passez votre temps à vous défiler (le plus gros de votre énergie y passe). Vous renoncez à des activités, à des projets, parce que vous craignez les contacts, la nouveauté et vous ratez souvent des occasions (une Juliette ou un Roméo qui vous plaît, une bonne affaire, un job intéressant).

Votre problème : l'hyperémotivité. Plaques rouges, mains moites, suées, rires nerveux, tremblements, bredouillis…

votre corps réagit souvent d'une manière excessive (comme chez les hystériques). À quoi cela est-il dû? Ce peut-être inné. Ou alors provoqué: modifications hormonales par exemple au moment de la puberté (auquel cas, après ça passe) ou de la grossesse, de la ménopause, choc affectif grave dans la petite enfance (séparation brutale de la mère, perte d'un être cher...), traumatisme grave (par exemple après un accident de voiture, une maladie infectieuse...) ou, encore, une intoxication (ou un sevrage) à une substance (alcool, café, tabac, cannabis, amphétamines, cocaïne...).

Stratégie de renforcement

D'abord, apprenez à bien respirer (inspiration et expiration profondes en observant un temps d'arrêt entre les deux). Pour beaucoup de psys, un hyperémotif, c'est quelqu'un qui respire mal. Soyez plus physique aussi (passez votre permis si vous ne l'avez pas, inscrivez-vous dans une salle de gym), cela renforcera votre confiance en vous. Ensuite, réapprenez à parler. Un hyperémotif, c'est aussi quelqu'un qui s'exprime trop par le corps et pas assez par les mots, l'échange, le dialogue. Le simple fait d'avouer, par exemple, une timidité, une gêne, un malaise, réduit de beaucoup nos tensions internes.

MAJORITÉ DE ❋

Votre faiblesse: l'anxiété

Vous avez tendance à vous faire beaucoup de soucis pour tout et rien. Vous vous attendez tout le temps (sans raison valable) à ce que tout (couple, boulot...) tourne mal (ce que Freud appelle « la tendance à l'attente du malheur »). D'où, une grande frilosité devant les gens et les événements, accompagnée souvent de sentiments d'impuissance, de timidité. Vous avez peur des regards, d'être jugé (moche, nul), et de réagir de manière embarrassée (rire bêtement, raconter n'importe quoi, être paralysé par le trac...), voire humiliante (ne pas arriver à faire un truc que même un gamin de six ans peut faire, etc.). Donc vous évitez soigneusement toutes les situations susceptibles de vous angoisser. Résultat : vous restez souvent dans une routine : activités répétitives (vous avez peur des changements), petit monde fermé (vous avez peur des inconnus) et vous êtes souvent accro au boulot (moins de risques).

Votre problème : un « ça » (les pulsions instinctuelles et sexuelles) trop fort. D'où le blocage des émotions pour « ne pas éprouver de sensations pénibles » (Freud) et le besoin de stabilité (environnement, habitat, déco de la maison, cadre de travail...), d'habitudes (les mêmes choses de la même façon), de rituels de réassurance (manies, grigris, polices d'assurance, consultation de voyantes...), de relations routinières (fréquentations de longue date, petit cercle d'amis de confiance).

Stratégie de renforcement

Commencez par vous relaxer. Supprimez tous les anxiogènes : alcool, café, thé, tabac... Sur le moment, ils détendent, mais à terme ils aggravent l'anxiété. Détendez-vous tous les soirs dans un grand bain brûlant (la chaleur libère des endorphines, l'hormone du bien-être), allez au hammam une fois par semaine, mettez-vous au yoga ou à la natation pour réapprendre à respirer correctement. Ensuite, désensibilisez-vous. Faites une liste des situations qui déclenchent votre anxiété et affrontez-les systématiquement (en commençant par la plus facile dans votre liste) jusqu'à ce que vous vous sentiez parfaitement à l'aise.

MAJORITÉ DE ▲

Votre faiblesse : l'indifférence

D'un côté, c'est commode : vous êtes assez insensible aux regards des autres (plutôt indifférent aux compliments comme aux critiques). Vous ne passez pas votre temps à la ramener, vous êtes perçu comme une personne discrète, réservée, qui ne se mêle pas des affaires des autres. De l'autre, vous êtes plutôt isolé, solitaire, trop en retrait dans les relations affectives et sociales. Vous avez tendance à renoncer dès que les choses semblent compliquées (presque toujours). Ou alors à être soumis (aux gens, aux événements) et vous ne faites forcément pas ce qui est le mieux pour vous.

Votre problème: un moi faible (estime de soi trop basse), des sentiments d'infériorité, une comparaison dévalorisante avec les autres. D'où la difficulté des confrontations, la peur de vous lier (en amitié, en amour…), de participer à un groupe, l'envie de disparaître, de ne pas vous faire remarquer et, parfois, la résignation à l'échec, à la solitude. Cela va souvent avec des parents mal aimants. « Un enfant se sent inférieur s'il remarque qu'il n'est pas aimé… », dixit Freud. Ou c'est parfois la conséquence d'un choc affectif grave (rupture dont on ne s'est pas remis, perte d'un être cher, etc.). Cela peut être la conséquence aussi d'un décalage social (enfant de parents pauvres propulsé dans un milieu de gosses de riches par exemple).

Stratégie de renforcement

Se doper l'ego. S'aimer plus, s'aimer vraiment, ce n'est pas si difficile que ça. Ça ne consiste pas à être zéro défaut, à ne pas faire de faux pas, simplement à se voir comme «aimable», digne d'intérêt, d'estime, de respect et de se comporter toujours comme tel. Pour ça, vous devez arrêter de vous dévaloriser systématiquement, à vos yeux (ne vous comparez pas tout le temps) comme à ceux des autres (n'attirez pas l'attention sur vos défauts, vos faiblesses). Et vous focaliser sur vos succès (tout le monde en a, même de tout petits), au lieu de vos ratés.

VOTRE PROFIL PSYCHOPROFESSIONNEL

Extraversion, stabilité émotionnelle, convivialité, conscience professionnelle et ouverture d'esprit... Voilà, pour les spécialistes des ressources humaines, les cinq indices fondamentaux de la personnalité, les fameux Big 5 qui font l'unanimité en Europe comme dans les pays anglosaxons. La plupart des tests de recrutement cherchent, de manière plus ou moins directe, à en déterminer le degré pour faire « coller » la bonne personne à la bonne fonction en évaluant l'adéquation du profil d'un candidat avec le travail proposé, la culture de l'entreprise et l'équipe qu'il rejoindra éventuellement. Normal, car on attend, par exemple, plus d'extraversion chez un commercial que chez un comptable ou plus d'ouverture d'esprit chez un créatif que chez un chef d'atelier.

Comment déterminer votre cocktail personnel ? C'est l'objectif des cinq chapitres suivants. Ils vous permettront de mesurer globalement chaque indice (extraversion, convivialité, conscience professionnelle, stabilité émotionnelle et ouverture d'esprit) et de mesurer dans chaque indice cinq « niveaux » spécifiques. Au total, vingt-cinq traits de personnalité (sociabilité, affirmation de soi, niveau d'activité, mobilité, optimisme, anxiété, agressivité, dépression, vulnérabilité, impulsivité, confiance, éthique, altruisme, esprit d'équipe, empathie, méthode, fiabilité, persévérance, détermination, prudence, inventivité, intuition, curiosité, compréhension, tolérance) pour une évaluation très fine de votre profil psychoprofessionnel.

Les tests qui vous sont proposés dans ces chapitres sont volontairement « opaques ». On vous demande systématiquement de choisir entre deux qualificatifs également valorisants, afin d'obtenir une définition objective et non fonction de l'image idéale que vous avez de vous-même. Leur caractère répétitif, qui vous incite à répondre sans réfléchir, spontanément, poursuit le même but.

VOTRE INDICE D'EXTRAVERSION

Le facteur « extraversion » évalue globalement l'orientation de la personnalité, plus ou moins tournée vers le monde extérieur (les personnes, les choses, les événements…) ou vers le monde intérieur (le soi, les idées, les pensées…). Mais il permet aussi de mesurer cinq traits de personnalité spécifiques (ou « niveaux ») : la sociabilité, l'affirmation de soi, le niveau d'activité, la mobilité et l'optimisme.

Voici une série d'adjectifs, tous positifs, présentés deux par deux. Ils ne sont pas forcément contradictoires. Certains ont même parfois des sens très proches. Mais le principe de ce test est d'en sélectionner un seul à chaque fois : celui qui vous correspond le plus. Par exemple, vous pouvez très bien considérer que vous êtes à la fois « Calme » et « Enthousiaste ». Pourtant, il faut choisir.

Vous êtes plus souvent…   ou plus souvent…

Vous êtes plus souvent…	ou plus souvent…
◆ Faisant confiance	▲ Sociable
■ Méthodique	▲ Sûr de soi
✳ Calme	▲ Enthousiaste
○ Tolérant	▲ Sûr de soi
▲ Énergique	✳ Calme
▲ Sûr de soi	◆ Faisant confiance
▲ Énergique	○ Tolérant
◆ Faisant confiance	▲ Énergique
✳ Calme	▲ Sûr de soi
▲ Enthousiaste	◆ Faisant confiance
○ Tolérant	▲ Enthousiaste
▲ Enthousiaste	■ Sérieux
▲ Énergique	◆ Dévoué
▲ Enthousiaste	✳ Serein
◆ Altruiste	▲ Sociable
▲ Sûr de soi	◆ Altruiste

◆ Compréhensif ✓
◆ Altruiste ✓
▲ Enthousiaste
■ Volontaire ✓
▲ Sociable
▲ De bonne humeur
❈ Serein ✓
◆ Solidaire ✓
▲ Sociable
◆ Dévoué ✓
▲ Énergique ✓
○ Ingénieux ✓
◆ Solidaire ✓
▲ De bonne humeur
■ Sérieux ✓
▲ Sûr de soi
◆ Altruiste ✓
▲ Sociable
▲ De bonne humeur
▲ De bonne humeur
◆ Compréhensif ✓
■ Sérieux ✓
◆ Compréhensif ✓
■ Méthodique ✓
▲ Sûr de soi
■ Sérieux ✓
▲ Sûr de soi
▲ Sociable
■ Persévérant ✓
▲ Énergique ✓
▲ De bonne humeur ✓
■ Volontaire ✓

▲ De bonne humeur
▲ Énergique
◆ Altruiste ✓
▲ De bonne humeur
■ Prudent ✓
■ Méthodique ✓
▲ Sociable
▲ Sûr de soi
◆ Solidaire ✓
▲ Enthousiaste
◆ Solidaire ✓
▲ Sociable
▲ Enthousiaste
◆ Dévoué ✓
▲ Sociable
❈ Serein ✓
▲ De bonne humeur
■ Méthodique ✓
◆ Solidaire ✓
○ Curieux ✓
▲ Énergique
▲ De bonne humeur
▲ Sociable
▲ Enthousiaste
■ Sérieux ✓
▲ Énergique
◆ Compréhensif ✓
■ Persévérant ✓
▲ Sûr de soi
■ Persévérant
■ Persévérant
▲ Sociable

- ▲ De bonne humeur
- ▲ Sûr de soi
- ▲ Sociable
- ○ Curieux
- ▲ Énergique
- ○ Curieux
- ▲ Sociable
- ▲ Sûr de soi
- ○ Ingénieux
- ◆ Dévoué
- ▲ Enthousiaste
- ▲ Sociable
- ◆ Faisant confiance
- ✽ Raisonnable
- ▲ Sociable
- ▲ De bonne humeur
- ▲ Énergique
- ■ Volontaire
- ▲ Enthousiaste
- ■ Prudent
- ▲ Énergique
- ✽ Serein
- ■ Prudent
- ✽ Serein
- ▲ Enthousiaste
- ▲ De bonne humeur
- ✽ Dynamique
- ▲ Sûr de soi
- ✽ Dynamique
- ▲ Enthousiaste
- ✽ Dynamique
- ▲ Sociable

- ■ Prudent
- ■ Volontaire
- ○ Curieux
- ▲ Sûr de soi
- ○ Curieux
- ▲ Enthousiaste
- ✽ Calme
- ○ Ingénieux
- ▲ Énergique
- ▲ Sûr de soi
- ○ Ingénieux
- ○ Tolérant
- ▲ De bonne humeur
- ▲ Énergique
- ◆ Dévoué
- ○ Tolérant
- ■ Prudent
- ▲ Énergique
- ■ Volontaire
- ▲ Sûr de soi
- ■ Méthodique
- ▲ De bonne humeur
- ▲ Enthousiaste
- ▲ Énergique
- ◆ Compréhensif
- ✽ Calme
- ▲ Sociable
- ✽ Dynamique
- ▲ Énergique
- ✽ Dynamique
- ▲ De bonne humeur
- ✽ Non susceptible

✳ Non susceptible
▲ Énergique
✳ Non susceptible
○ Ingénieux
■ Persévérant
▲ De bonne humeur
▲ Sûr de soi
✳ Raisonnable
▲ Sûr de soi
✳ Raisonnable
▲ Sociable
○ Intuitif
○ Créatif
▲ Énergique
○ Créatif
▲ De bonne humeur
○ Intuitif
▲ Enthousiaste
▲ Enthousiaste
○ Intuitif

▲ Sûr de soi
✳ Non susceptible
▲ Enthousiaste
▲ De bonne humeur
▲ Enthousiaste
✳ Non susceptible
○ Intuitif
▲ Sociable
✳ Raisonnable
▲ De bonne humeur
○ Créatif
▲ Énergique
▲ Sûr de soi
○ Créatif
▲ Enthousiaste
○ Créatif
▲ Sociable
○ Intuitif
✳ Raisonnable
▲ De bonne humeur

Comment analyser vos réponses

Vous pouvez analyser vos réponses de deux façons :

• **Globalement.** Comptez le nombre de symboles ▲ que vous avez cochés : le chiffre que vous obtenez (compris entre 0 et 100) vous donne votre indice global d'extraversion.

• **Indice par indice.** Comptez le nombre de fois où vous avez coché les différents adjectifs notés ▲ : « sociable », « sûr de soi », « énergique », « enthousiaste », « de bonne humeur ». Puis multipliez chaque fois le chiffre obtenu par cinq : cela vous donne votre pourcentage dans chaque indice.

VOTRE INDICE D'EXTRAVERSION

MOINS DE 34 %
Indice bas

Votre profil
Vous avez tendance à réfléchir longtemps avant de passer à l'action. Vous n'exprimez les choses (idées, sentiments, intentions) que quand elles sont claires dans votre tête, construites (suffisamment arrêtées) pour vous. Peu sociable, pas très liant, vous ne parlez facilement que de ce que vous connaissez bien ou qui vous tient à cœur. Vous vous livrez peu et seulement dans une atmosphère de confiance (vous vous ressourcez dans l'intimité).

Vos risques
Vous pouvez vous replier sur votre monde intérieur (timidité maladive, négligence des contraintes, ignorance des choses et des gens) et stagner professionnellement parce que vous avez peur de prendre des responsabilités qui impliquent plus de contacts avec les autres et/ou qui entraînent trop de changements (lieu de travail différent, activités nomades, etc.).

Des filières pour vous
Création artistique, recherche, linguistique, archéologie, comptabilité, dessin industriel (cartes, plans)…

DE 34 À 66 %
Indice moyen 50 %

Votre profil
Un bon équilibre entre action et réflexion, mobilité et concentration, sociabilité et autonomie. Vous êtes à la fois capable de travailler seul et de vous intégrer dans une équipe, de prendre des initiatives personnelles et de respecter les règles, d'analyser les problèmes et de trouver des

solutions. Vous avez autant de facilités pour vous plier à la routine et faire face à l'imprévu.

Vos risques

Comme vous êtes un peu tout-terrain, vous risquez d'être confiné dans un rôle de généraliste (par exemple, l'assistante hyperdouée sur qui on peut compter pour tout, mais qu'on se garde bien de promouvoir parce qu'elle est indispensable dans ce qu'elle fait) ou de plafonner dans vos activités parce que vous ne vous spécialisez pas assez.

Des filières pour vous

Médecine, pharmacie, professorat, art culinaire, psychologie, mannequinat, etc.

PLUS DE 66 %
Indice élevé

Votre profil

Vous avez tendance à agir d'abord et à réfléchir ensuite. Vous pensez à haute voix (vous avez besoin de parler pour mettre en forme vos idées) et ce que vous dites n'est jamais définitif (vous paraissez souvent versatile, contradictoire). Sociable, vous aimez les contacts, vous avez besoin d'échanges (pour vous ressourcer), vous exprimez facilement vos pensées et vos sentiments.

Vos risques

Vous êtes tellement positif que souvent vous ne voyez pas l'obstacle : vous foncez et vous vous mettez parfois dans des situations compliquées. Ou alors vous prenez des initiatives, mais vous laissez les autres se débrouiller avec l'intendance, les détails. Votre côté «chef» finit par agacer tout le monde car vous faites inutilement monter la pression et après vous vous défilez.

Des filières pour vous
Théâtre, cinéma, relations de presse, coiffure, danse, métiers de la vente, de services...

Vos « niveaux » d'extraversion

Sociabilité

Ce paramètre (adjectif « sociable ») mesure l'indice de sociabilité. Les personnes qui ont un haut niveau de S – pour Sociabilité – (plus de 60 %) ont l'esprit d'équipe : elles manifestent de la solidarité avec le groupe, même en l'absence d'intérêt personnel direct. En revanche, un bas niveau de S (moins de 40 %) se traduit par des comportements plus individualistes.

Affirmation de soi

Les personnes qui ont un haut niveau de A (plus de 60 % « sûr de soi ») s'affirment plus facilement dans un groupe (prennent des initiatives, lancent des idées). En revanche, celles qui ont un bas niveau de A (moins de 40 %) ont moins de charisme et de facilités pour impressionner favorablement les autres (premiers contacts et suivi des relations).

Niveau d'activité

Un pourcentage élevé de NA (plus de 60 %) se traduit par un niveau d'activité élevé (dynamisme, résistance physique et psychique). En revanche, un bas niveau de NA (moins de 40 %) se traduit par des performances plus faibles, moins constantes.

Mobilité

Ce paramètre mesure le mode de mobilisation. Les personnes qui ont un haut niveau de M (plus de 60 %

d'« enthousiasme ») ont sans cesse besoin de nouveauté et de stimulations extérieures pour être motivées (la routine les ennuie rapidement, mais elles savent mieux faire face aux imprévus, s'adapter aux changements). En revanche, un bas niveau de M (moins de 40 %) donne plus de facilités pour les tâches routinières (mais plus de difficultés pour faire face à l'imprévu, s'adapter aux changements).

Optimisme

Ce paramètre mesure la « positivité ». Les personnes qui ont un haut niveau de O (plus de 60 % de « de bonne humeur ») ont toujours tendance à prendre les choses du bon côté (trouvent des solutions, mais parfois ne voient pas l'obstacle). En revanche, un bas niveau de O (moins de 40 %) se traduit par un côté plus rabat-joie (dramatisent les problèmes, les difficultés), mais parfois plus sûr.

VOTRE INDICE DE CONVIVIALITÉ

Le facteur « convivialité » mesure les différences de comportement individuel au sein d'un groupe. Il s'agit d'abord ici d'évaluer votre attitude par rapport à ce qui fait la cohésion et l'harmonie d'une équipe (valeurs, affectivité, interactivité…) indépendamment des intérêts et des objectifs communs. Ensuite le test mesure cinq traits de personnalité spécifiques (ou « niveaux ») relatifs à la vie dans la collectivité d'une entreprise : la confiance, l'éthique, l'altruisme, l'esprit d'équipe et l'empathie.

Voici une série d'adjectifs, tous positifs, présentés deux par deux. Ils ne sont pas forcément contradictoires. Certains sont même parfois très proches. Mais le principe de ce type de test est d'en sélectionner un seul à chaque fois : celui qui vous correspond le plus. Par exemple, vous pouvez très bien considérer que vous êtes à la fois « Altruiste » et « Tolérant ». Mais vous devez choisir.

Vous êtes plus souvent…	ou plus souvent…
◆ Altruiste	■ Persévérant
▲ Sociable	◆ Solidaire
✳ Non susceptible	◆ Dévoué
◆ Altruiste	✳ Non susceptible
◆ Dévoué	○ Ingénieux
◆ Compréhensif	▲ Sociable
◆ Altruiste	○ Tolérant
✳ Dynamique	◆ Altruiste
◆ Solidaire	▲ Energique
◆ Compréhensif	▲ Energique
◆ Altruiste	■ Méthodique
◆ Faisant confiance	▲ Enthousiaste
▲ Enthousiaste	◆ Dévoué
◆ Solidaire	■ Sérieux

- ◆ Compréhensif
- ◆ Faisant confiance
- ▲ De bonne humeur
- ◆ Altruiste
- ▲ De bonne humeur
- ◆ Compréhensif
- ◆ Faisant confiance
- ▲ Enthousiaste
- ■ Méthodique
- ◆ Compréhensif
- ▲ Sûr de soi
- ◆ Compréhensif
- ◆ Faisant confiance
- ◆ Dévoué
- ■ Sérieux
- ◆ Dévoué
- ▲ Sûr de soi
- ■ Sérieux
- ◆ Altruiste
- ■ Sérieux
- ◆ Faisant confiance
- ■ Persévérant
- ◆ Altruiste
- ■ Persévérant
- ◆ Compréhensif
- ▲ Energique
- ■ Volontaire
- ○ Créatif
- ◆ Altruiste
- ◆ Altruiste
- ■ Volontaire
- ◆ Compréhensif

- ▲ Enthousiaste
- ▲ De bonne humeur
- ◆ Dévoué
- ▲ Sûr de soi
- ◆ Solidaire
- ▲ De bonne humeur
- ■ Méthodique
- ◆ Solidaire
- ◆ Solidaire
- ■ Méthodique
- ◆ Dévoué
- ▲ Sûr de soi
- ■ Volontaire
- ▲ Energique
- ◆ Faisant confiance
- ■ Sérieux
- ◆ Solidaire
- ◆ Altruiste
- ▲ Enthousiaste
- ◆ Compréhensif
- ■ Persévérant
- ◆ Dévoué
- ▲ De bonne humeur
- ◆ Solidaire
- ■ Persévérant
- ◆ Faisant confiance
- ◆ Dévoué
- ◆ Dévoué
- ○ Curieux
- ■ Volontaire
- ◆ Solidaire
- ■ Volontaire

- ■ Prudent
- ◆ Altruiste
- ◆ Dévoué
- ■ Prudent
- ◆ Solidaire
- ■ Prudent
- ○ Créatif
- ◆ Faisant confiance
- ✳ Serein
- ✳ Raisonnable
- ✳ Non susceptible
- ○ Curieux
- ◆ Compréhensif
- ◆ Faisant confiance
- ✳ Calme
- ◆ Altruiste
- ○ Curieux
- ◆ Dévoué
- ◆ Faisant confiance
- ○ Ingénieux
- ○ Tolérant
- ◆ Dévoué
- ◆ Altruiste
- ▲ Energique
- ◆ Faisant confiance
- ○ Ingénieux
- ◆ Faisant confiance
- ▲ Sociable
- ■ Méthodique
- ◆ Compréhensif
- ✳ Dynamique
- ◆ Compréhensif

- ◆ Faisant confiance
- ○ Créatif
- ■ Prudent
- ◆ Altruiste
- ■ Prudent
- ◆ Compréhensif
- ◆ Solidaire
- ✳ Serein
- ◆ Dévoué
- ◆ Compréhensif
- ◆ Solidaire
- ◆ Dévoué
- ✳ Serein
- ✳ Calme
- ◆ Dévoué
- ✳ Serein
- ◆ Solidaire
- ✳ Raisonnable
- ▲ Sûr de soi
- ◆ Altruiste
- ◆ Solidaire
- ○ Intuitif
- ✳ Calme
- ◆ Altruiste
- ▲ Sociable
- ◆ Compréhensif
- ○ Tolérant
- ◆ Dévoué
- ◆ Dévoué
- ✳ Calme
- ◆ Faisant confiance
- ○ Curieux

✳ Serein
◆ Compréhensif
✳ Raisonnable
◆ Solidaire
◆ Compréhensif
◆ Altruiste
○ Tolérant
✳ Calme
✳ Raisonnable
◆ Dévoué
○ Ingénieux
◆ Solidaire
◆ Compréhensif
◆ Faisant confiance
◆ Solidaire
◆ Faisant confiance
✳ Dynamique
○ Intuitif
○ Intuitif
◆ Solidaire
○ Intuitif
◆ Faisant confiance

◆ Solidaire
✳ Non susceptible
◆ Faisant confiance
○ Ingénieux
○ Tolérant
▲ Sociable
◆ Dévoué
◆ Solidaire
◆ Altruiste
✳ Dynamique
◆ Faisant confiance
✳ Dynamique
○ Créatif
✳ Non susceptible
✳ Raisonnable
○ Créatif
◆ Compréhensif
◆ Faisant confiance
◆ Altruiste
○ Intuitif
◆ Compréhensif
○ Curieux

Comment analyser vos réponses

Vous pouvez analyser vos réponses de deux façons :

• **Globalement.** Comptez le nombre de symboles ◆ que vous avez cochés : le chiffre que vous obtenez (compris entre 0 et 100) vous donne votre indice global de convivialité.

• **Indice par indice.** Comptez le nombre de fois où vous avez coché les différents qualitatifs notés ◆ : « faisant confiance », « dévoué », « altruiste », « solidaire », « compréhensif ». Puis multipliez chaque fois le chiffre obtenu par cinq : cela vous donne votre pourcentage dans chaque indice.

VOTRE INDICE DE CONVIVIALITÉ

MOINS DE 34 %
Indice bas

Votre profil
Vous êtes très autonome dans votre travail. Non seulement vous êtes capable de travailler seul, mais vous préférez cela (vous n'aimez pas passer votre temps à rendre des comptes ou à en demander). Vous avez souvent tendance à privilégier l'efficacité, les résultats, au détriment des relations humaines.

Vos risques
Foncièrement individualiste, vous avez du mal à vous intégrer véritablement (pas ou peu de sens de l'équipe), à vous plier aux rituels du groupe, à accorder votre rythme de travail avec celui des autres. Résultat : vous pouvez jouer souvent trop perso, en prenant de haut les critiques et les suggestions (arrogance) et en tirant systématiquement la couverture à vous en cas de succès (opportunisme).

Des filières pour vous
Dentisterie, médecine, religion, critique littéraire, gardiennage, conduite (train, métro, camion…), création littéraire, beaux-arts, etc.

DE 34 À 66 %
Indice moyen

Votre profil
Vous êtes à la fois ouvert aux autres, toujours disponible pour leur donner un tuyau, un contact ou un coup de main, et de faire preuve de réalisme (ne pas perdre de vue les buts fixés) et d'objectivité (ce n'est pas parce que Machin a de belles fesses qu'il a de bonnes idées ou que

vous pouvez compter sur lui). A priori, vous faites confiance aux autres, vous êtes spontanément dévoué, mais il faut qu'ils assurent (fassent leur boulot, vous renvoient l'ascenseur).

Vos risques
Être pris entre le marteau et l'enclume. D'un côté, vous avez envie que tout le monde soit content de travailler ; de l'autre, vous avez des exigences (d'efficacité, de résultats). De fait, vous êtes souvent un coup trop sympa (c'est pris pour de la faiblesse et les autres en profitent), un coup trop carré (ça déclenche de l'hostilité, voire des rivalités).

Des filières pour vous
Professorat, artisanat, commerce, « vie de bureau » en général, esthétique...

PLUS DE 66 %
Indice élevé

Votre profil
Vous n'imaginez pas travailler en solo dans un coin avec un patron qui passe sa tête tous les trois jours pour demander « ça va ? ». Vous avez besoin d'être entouré, de pouvoir échanger (sentiments, idées, opinions...), partager (projets, espoirs, soucis...). Vous devez sentir que vous faites partie d'une équipe, que vous appartenez à une « famille » pour donner le meilleur de vous-même.

Vos risques
À force de rechercher le consensus à tout prix, de vouloir ménager la chèvre et le chou, vous pouvez tuer dans l'œuf les bonnes idées, décourager (inconsciemment) les initiatives, perdre votre temps et celui des autres (en arguties) et, finalement, perdre de vue les objectifs communs.

Des filières pour vous
Animation (télé, radio, foires, supermarché, goûters d'enfants…), politique, relations publiques, vente, etc.

Vos « niveaux » de convivialité

Confiance

Les personnes qui ont un haut niveau de C (plus de 60 % en « faisant confiance ») ont des a priori très positifs envers les autres (les soupçonnent du meilleur), mais elles ont parfois tendance à se confier trop librement. En revanche, celles qui ont un bas niveau de C (moins de 40 %) sont plus réservées, mais se montrent parfois méfiantes sans raison valable.

Éthique

Un haut niveau de E (plus de 60 % de « dévoué ») donne des personnes fidèles à elles-mêmes (elles ont une ligne de conduite et elles s'y tiennent) et aux autres (respectent leurs engagements). En revanche, les personnes avec un bas niveau de E sont plus versatiles et, parfois, très opportunistes (subordonnent leurs principes à leurs intérêts momentanés).

Altruisme

Les personnes qui ont un haut niveau de A (plus de 60 %) s'intéressent aux autres et sont spontanément très dévouées. En revanche, un bas niveau de A (moins de 40 %) donne des gens qui font systématiquement passer leurs intérêts personnels avant ceux des autres et du groupe.

Esprit d'équipe

Les personnes qui ont un haut niveau de EE (plus de 60 % de « solidaire ») sont très consensuelles, souvent les mieux à même de concilier les intérêts différents (assurer la cohésion d'un groupe, mener des négociations). Mais elles sont moins bien armées que celles qui ont un bas niveau de EE (moins de 40 %) pour faire face ou gérer des conflits.

Empathie

Les personnes qui ont un haut niveau de E (plus de 60 % de « compréhensif ») savent se mettre d'instinct à la place des autres et ressentir ce qu'ils ressentent. En revanche, celles qui ont un bas niveau de E (moins de 40 %) sont moins capables d'écoute, plus indifférentes aux attentes et aux problèmes des autres.

VOTRE INDICE
DE CONSCIENCE PROFESSIONNELLE

Le facteur « conscience professionnelle » mesure les différences individuelles en matière de recherche de performance (dans l'organisation et l'action), d'implication dans le travail, de stabilité des motivations et d'investissement dans des projets à long terme. Il vous permet d'évaluer également cinq qualités particulières : vos niveaux de méthode, de fiabilité, de persévérance, de détermination et de prudence.

Voici une série d'adjectifs, tous positifs, présentés deux par deux. Ils ne sont pas forcément contradictoires. Certains ont même souvent des sens très proches. Par exemple, vous pouvez très bien considérer que vous êtes également « Raisonnable » et « Prudent ». Mais le principe de ce type de test consiste à n'en sélectionner qu'un seul à chaque fois : celui qui vous correspond le plus.

Vous êtes plus souvent…	**ou plus souvent…**
■ Méthodique	▲ Sociable
■ Volontaire	○ Ingénieux
■ Prudent	▲ Énergique
▲ Enthousiaste	■ Méthodique
○ Tolérant	■ Sérieux
▲ Sociable	■ Sérieux
■ Persévérant	▲ Sociable
▲ Sociable	■ Volontaire
■ Prudent	▲ Sociable
▲ Sûr de soi	■ Méthodique
○ Ingénieux	■ Prudent
■ Sérieux	▲ Sûr de soi
▲ Sûr de soi	■ Persévérant
■ Méthodique	○ Tolérant
■ Persévérant	✳ Non susceptible

■ Volontaire

▲ Sûr de soi

■ Méthodique

✶ Dynamique

▲ Enthousiaste

■ Méthodique

▲ De bonne humeur

■ Persévérant

◆ Compréhensif

◆ Faisant confiance

▲ De bonne humeur

■ Prudent

■ Méthodique

▲ Énergique

■ Prudent

◆ Dévoué

■ Persévérant

◆ Faisant confiance

■ Persévérant

◆ Faisant confiance

■ Prudent

■ Sérieux

■ Persévérant

◆ Dévoué

■ Méthodique

◆ Altruiste

■ Prudent

◆ Solidaire

■ Sérieux

◆ Solidaire

■ Volontaire

■ Sérieux

▲ Sûr de soi

■ Prudent

▲ Énergique

■ Sérieux

■ Persévérant

▲ De bonne humeur

■ Sérieux

▲ Énergique

■ Sérieux

■ Volontaire

■ Volontaire

▲ De bonne humeur

◆ Faisant confiance

■ Volontaire

◆ Faisant confiance

■ Méthodique

▲ De bonne humeur

■ Sérieux

▲ De bonne humeur

■ Sérieux

◆ Compréhensif

◆ Dévoué

○ Tolérant

■ Prudent

◆ Altruiste

■ Volontaire

◆ Altruiste

■ Méthodique

◆ Solidaire

■ Persévérant

◆ Solidaire

✶ Calme

- ■ Méthodique
- ■ Persévérant
- ◆ Faisant confiance
- ■ Prudent
- ■ Volontaire
- ■ Persévérant
- ■ Persévérant
- ◆ Compréhensif
- ◆ Solidaire
- ■ Méthodique
- ✳ Raisonnable
- ○ Tolérant
- ■ Persévérant
- ✳ Dynamique
- ■ Sérieux
- ■ Sérieux
- ■ Prudent
- ■ Méthodique
- ■ Persévérant
- ✳ Serein
- ■ Volontaire
- ■ Prudent
- ✳ Serein
- ◆ Altruiste
- ✳ Calme
- ▲ Enthousiaste
- ✳ Non susceptible
- ■ Méthodique
- ■ Prudent
- ■ Méthodique
- ■ Volontaire
- ○ Curieux

- ◆ Compréhensif
- ▲ De bonne humeur
- ■ Sérieux
- ◆ Compréhensif
- ▲ Enthousiaste
- ◆ Compréhensif
- ◆ Faisant confiance
- ■ Volontaire
- ■ Prudent
- ✳ Serein
- ■ Persévérant
- ■ Volontaire
- ✳ Dynamique
- ■ Volontaire
- ○ Ingénieux
- ✳ Raisonnable
- ✳ Dynamique
- ✳ Non susceptible
- ○ Créatif
- ■ Sérieux
- ◆ Dévoué
- ✳ Non susceptible
- ■ Volontaire
- ■ Sérieux
- ■ Méthodique
- ■ Prudent
- ■ Sérieux
- ✳ Dynamique
- ✳ Serein
- ○ Curieux
- ✳ Calme
- ■ Sérieux

■ Persévérant

○ Curieux

■ Prudent

■ Persévérant

✳ Raisonnable

✳ Calme

▲ Énergique

■ Volontaire

✳ Raisonnable

■ Méthodique

○ Créatif

◆ Dévoué

○ Créatif

■ Prudent

○ Intuitif

■ Sérieux

■ Volontaire

○ Intuitif

○ Ingénieux

■ Persévérant

○ Ingénieux

■ Sérieux

✳ Non susceptible

■ Prudent

✳ Calme

○ Intuitif

○ Curieux

■ Volontaire

○ Curieux

✳ Serein

■ Méthodique

■ Persévérant

■ Sérieux

✳ Raisonnable

■ Prudent

○ Créatif

■ Sérieux

■ Persévérant

■ Volontaire

○ Créatif

■ Méthodique

○ Intuitif

○ Intuitif

■ Prudent

■ Méthodique

◆ Altruiste

■ Persévérant

▲ Enthousiaste

■ Volontaire

○ Tolérant

■ Prudent

■ Persévérant

Comment analyser vos réponses

Vous pouvez analyser vos réponses de deux façons :

• **Globalement.** Comptez le nombre de symboles ■ que vous avez cochés : le chiffre que vous obtenez (compris entre 0 et 100) vous donne votre indice global de conscience professionnelle.

• **Indice par indice.** Comptez le nombre de fois où vous avez coché les différents adjectifs notés ■ : « méthodique », « sérieux », « persévérant », « volontaire », « prudent ». Puis multipliez chaque fois le chiffre obtenu par cinq : cela vous donne votre pourcentage dans chaque indice.

VOTRE INDICE
DE CONSCIENCE PROFESSIONNELLE

MOINS DE 34 %
Indice bas

Votre profil
Vous n'êtes pas un gros bosseur (vous vous fatiguez vite, vous êtes très facilement démotivé). Forcément, votre fiabilité (faire correctement ce pour quoi vous êtes payé) et vos résultats sont en dents de scie. Vous êtes particulièrement sujet à des contre-performances en cas de changement d'environnement, d'interlocuteurs, de responsabilités, de tâches.

Vos risques
Vous pouvez faire un peu n'importe quoi (bâcler votre travail, faire des erreurs) par paresse ou négligence et vous faire mal voir par les autres (vous ne faites pas votre part de travail) ou par vos chefs (vous ergotez, vous « oubliez » ou vous traînez des pieds quand on vous demande de faire des choses que vous n'avez pas envie de faire).

Des filières pour vous
Administration, télécommunications, immobilier, animation (présentateur météo, Loto), photographie (natures mortes), etc.

DE 34 À 66 %
Indice moyen

Votre profil

Vous êtes à la fois doué pour analyser les situations (comprendre, trouver des idées) et pour concrétiser des solutions. Vous savez élaborer un plan de travail, définir des étapes de façon à créer les meilleures conditions pour atteindre votre but ou les objectifs qu'on vous a fixés. Mais, en même temps, vous êtes capable de vous adapter quand les données d'un problème changent (obstacles, nouvelles informations, etc.).

Vos risques

Vous pouvez parfois manquer d'audace, avoir l'esprit «fonctionnaire», vous confiner dans un rôle de simple exécutant, traîner des pieds ou faire de l'obstruction parce que vous pensez parfois qu'on vous en demande trop. Ou, au contraire, parfois aussi, vous entêter au-delà du raisonnable, au nom des principes, des règles, de vos «obligations».

Des filières pour vous

Professorat, direction marketing, casting (mannequins, comédiens), journalisme (rubrique presse, télé, radio), fabrication, graphologie.

PLUS DE 66 %
Indice élevé

Votre profil

Vous êtes conscient de la valeur et de l'importance du rôle que vous jouez dans l'entreprise (même si vous n'êtes que troisième assistante du quatrième directeur). Vous êtes capable de donner beaucoup de vous-même, même en l'absence d'avantages personnels) et vous montrez dans l'exécution de votre travail beaucoup d'honnêteté, de soin et de minutie.

Vos risques

Ceux du perfectionnisme. Vous voulez tellement bien faire les choses que vous prenez très peu d'initiatives (trop peur de vous tromper) et, quand vous vous lancez, vous avez du mal à respecter les délais, les échéances. Ou alors, vous êtes tellement préoccupé par les détails, les règles, les principes, l'ordre, que vous perdez de vue le but principal de votre activité (le dossier à rendre, la vente à conclure, etc.).

Des filières pour vous

Informatique, sécurité, armée, ingénierie, comptabilité (expert-comptable, commissaire aux comptes…), santé (infirmière en salle d'op), assemblage de précision, chimie, agriculture.

VOS « NIVEAUX »
DE CONSCIENCE PROFESSIONNELLE

Méthode

Les personnes qui ont un haut niveau de M (plus de 60 % de «méthodique») savent élaborer (pour elles-mêmes ou les autres) un plan de travail, en fixer les étapes de façon à créer les meilleures conditions pour atteindre leur but ou les objectifs. À la différence de celles qui ont un bas niveau de M (moins de 40 %), plus impulsives, empiriques et, parfois, brouillonnes dans leur travail.

Fiabilité

Les personnes qui ont un haut niveau de F (plus de 60 % de « sérieux ») ont le sens du devoir et de leurs obligations (envers les autres, l'entreprise). À la différence de celles qui ont un bas niveau de F (moins de 40 %) qui l'ont moins et qui ont aussi plus de mal à accepter la politique de l'entreprise, ses procédures, et à s'y tenir.

Persévérance

La persévérance, c'est la capacité à finaliser les actions. Les personnes qui ont un haut niveau de Pe (plus de 60 % de « persévérant ») s'accrochent jusqu'à atteindre l'objectif ou alors jusqu'à la preuve que celui-ci n'est plus valide. Un bas niveau de Pe (moins de 40 %) donne en revanche des gens qui renoncent facilement devant les difficultés (supposées ou réelles).

Détermination

Les personnes qui ont un haut niveau de D (plus de 60 % de « volontaire ») savent rester efficaces dans des situations décevantes et/ou hostiles malgré la pression ou les échecs. Celles qui ont un bas niveau de D (moins de 40 %) se montrent plus réactives (prennent moins d'initiatives, se démotivent plus facilement).

Prudence

Les personnes qui ont un haut niveau de Pr (plus de 60 % de « prudent ») réfléchissent à la portée et aux conséquences de leurs actes avant d'agir. Celles qui ont un bas niveau de Pr (moins de 40 %) sont moins vigilantes (ne prennent pas toutes les dispositions pour éviter les erreurs).

VOTRE INDICE
DE STABILITÉ ÉMOTIONNELLE

Le facteur « stabilité émotionnelle » mesure l'équilibre émotionnel général, les réactions individuelles et les données psychologiques négatives (sentiments d'anxiété, d'angoisse, de colère, tendance à la dépression) face à des situations critiques, conflictuelles et/ou stressantes.

Voici une série d'adjectifs, tous positifs, présentés deux par deux. Ils ne sont pas forcément contradictoires. Certains sont même parfois très proches. Par exemple, vous pouvez très bien considérer que vous pouvez être à la fois « Dynamique » et « Prudent ». Mais vous devez n'en choisir qu'un seul chaque fois : celui qui vous semble le plus correspondre à votre personnalité.

Vous êtes plus souvent...	ou plus souvent...
✳ Serein	▲ Sociable
▲ Sociable	✳ Calme
◆ Solidaire	✳ Raisonnable
■ Persévérant	✳ Non susceptible
◆ Compréhensif	✳ Calme
✳ Serein	○ Créatif
■ Prudent	✳ Calme
✳ Dynamique	▲ Sociable
▲ Sûr de soi	✳ Dynamique
✳ Raisonnable	○ Ingénieux
✳ Non susceptible	▲ Sûr de soi
▲ Énergique	✳ Calme
▲ Énergique	✳ Non susceptible
✳ Raisonnable	▲ Énergique
▲ Enthousiaste	✳ Calme
✳ Dynamique	▲ Enthousiaste

▲ Enthousiaste

✳ Dynamique

▲ De bonne humeur

✳ Serein

✳ Non susceptible

▲ De bonne humeur

✳ Serein

◆ Faisant confiance

✳ Dynamique

◆ Faisant confiance

✳ Raisonnable

◆ Dévoué

✳ Calme

◆ Dévoué

✳ Non susceptible

◆ Altruiste

▲ Sûr de soi

✳ Serein

✳ Dynamique

◆ Altruiste

✳ Raisonnable

◆ Solidaire

✳ Calme

○ Tolérant

◆ Solidaire

✳ Non susceptible

✳ Raisonnable

✳ Serein

■ Méthodique

✳ Dynamique

■ Méthodique

✳ Raisonnable

✳ Non susceptible

▲ Énergique

✳ Dynamique

▲ Enthousiaste

▲ De bonne humeur

✳ Raisonnable

◆ Faisant confiance

✳ Calme

◆ Faisant confiance

✳ Non susceptible

◆ Faisant confiance

✳ Serein

◆ Dévoué

✳ Dynamique

◆ Dévoué

✳ Calme

✳ Raisonnable

▲ Énergique

◆ Altruiste

✳ Non susceptible

◆ Altruiste

✳ Serein

◆ Solidaire

✳ Serein

✳ Dynamique

◆ Solidaire

◆ Compréhensif

■ Méthodique

✳ Calme

■ Méthodique

✳ Non susceptible

■ Méthodique

- ■ Sérieux
- ❋ Non susceptible
- ■ Sérieux
- ❋ Serein
- ❋ Non susceptible
- ■ Volontaire
- ❋ Calme
- ■ Volontaire
- ❋ Non susceptible
- ■ Volontaire
- ❋ Serein
- ❋ Dynamique
- ■ Prudent
- ❋ Dynamique
- ❋ Raisonnable
- ○ Tolérant
- ❋ Raisonnable
- ▲ Sociable
- ❋ Serein
- ❋ Calme
- ❋ Calme
- ■ Sérieux
- ❋ Serein
- ○ Créatif
- ◆ Compréhensif
- ❋ Dynamique
- ○ Créatif
- ■ Persévérant
- ❋ Dynamique
- ❋ Calme
- ❋ Raisonnable
- ❋ Non susceptible

- ❋ Serein
- ■ Sérieux
- ❋ Raisonnable
- ■ Persévérant
- ○ Intuitif
- ❋ Serein
- ■ Volontaire
- ❋ Dynamique
- ■ Volontaire
- ❋ Raisonnable
- ■ Prudent
- ■ Prudent
- ❋ Non susceptible
- ◆ Compréhensif
- ▲ Sociable
- ❋ Dynamique
- ■ Prudent
- ❋ Non susceptible
- ○ Ingénieux
- ▲ Sûr de soi
- ■ Sérieux
- ❋ Dynamique
- ◆ Compréhensif
- ❋ Calme
- ❋ Non susceptible
- ○ Créatif
- ❋ Non susceptible
- ❋ Calme
- ■ Persévérant
- ○ Tolérant
- ■ Persévérant
- ○ Tolérant

✻ Raisonnable
○ Intuitif
✻ Calme
○ Intuitif
✻ Serein
○ Curieux
✻ Dynamique
○ Curieux
✻ Raisonnable
○ Ingénieux
✻ Dynamique
○ Ingénieux
○ Intuitif
▲ Sûr de soi
○ Tolérant
◆ Dévoué
✻ Serein
✻ Raisonnable
▲ De bonne humeur
✻ Calme

○ Créatif
✻ Serein
○ Intuitif
✻ Dynamique
○ Curieux
✻ Calme
○ Curieux
✻ Non susceptible
○ Curieux
✻ Calme
○ Ingénieux
✻ Non susceptible
✻ Raisonnable
✻ Serein
✻ Raisonnable
✻ Raisonnable
◆ Altruiste
▲ Enthousiaste
✻ Serein
▲ De bonne humeur

Comment analyser vos réponses

Vous pouvez analyser vos réponses de deux façons :

• **Globalement.** Comptez le nombre de symboles ✻ que vous avez cochés : le chiffre que vous obtenez (compris entre 0 et 100) vous donne votre indice global de stabilité émotionnelle.

• **Indice par indice.** Comptez le nombre de fois où vous avez coché les différents adjectifs notés ✻ : « serein », « calme », « dynamique », « non susceptible », « raisonnable ». Puis multipliez chaque fois le chiffre que vous obtenez par cinq : cela vous donne votre pourcentage dans chaque indice.

VOTRE INDICE DE STABILITÉ ÉMOTIONNELLE

MOINS DE 34 %
  Indice bas

Votre profil
Vous avez une certaine fragilité émotionnelle (beaucoup d'émotivité, peu de *self-control*) et d'assez faibles défenses psychologiques (moindre résistance au stress, réactions négatives en cas de conflit, pessimisme du lendemain, etc.). Bref, vous avez tendance à réagir à tout (problèmes, critiques, pressions, changements, imprévus...) d'une manière excessive.

Vos risques
Faire de la procrastination (remettre au lendemain) par peur de l'échec, défendre bec et ongles vos acquis par peur du changement, rester passif devant les événements, laisser passer les opportunités, la chance, paniquer dans les situations critiques, en cas de coup dur, vous scléroser (intellectuellement, professionnellement) par peur du lendemain.

Des filières pour vous
Artisanat, infographie, administration, fleuriste, montage (cinéma, télé...), services de maison...

DE 34 À 66 %
  Indice moyen

Votre profil
Bien équilibré. D'un côté, vous êtes une force de proposition et d'action ; vous ne vous contentez pas de réagir aux événements, de suivre (la foule, le chef, la facilité) et vous ne vous démontez pas quand les choses deviennent dures (en cas de difficultés, de conflits). De l'autre, même si parfois vous prenez des risques, c'est toujours d'une manière très calculée, réfléchie (vous savez anticiper).

Vos risques
Prendre des décisions inconsidérées sous prétexte d'agir ou parce que «ça ne peut plus continuer comme ça» et créer plus de problèmes (pour vous et pour les autres) que vous n'en réglez. Ou, au contraire, par crainte des conséquences (vous n'êtes pas aveugle), repousser des décisions que vous savez nécessaires, inévitables (et après, forcément, ça rend les choses plus compliquées).

Des filières pour vous
Gynécologie, police (mœurs), métiers de la loi (avocat, juge d'instruction…), achats, publicité (chef de pub…), etc.

Plus de 66 %
Indice élevé

Votre profil
Vous avez une bonne estime de soi (assez élevée et stable). Confiant en vous-même et en l'avenir, vous ne craignez pas la compétition et les challenges. Bénéficiant de très bonnes défenses psychologiques, vous résistez généralement bien au stress et vous rebondissez assez facilement en cas d'échec. Vous avez beaucoup de sang-froid (bonne prise de risques) et de *self-control* dans les situations de conflit.

Vos risques
Imaginer que tout le monde est comme vous (calme dans la tempête, stimulé par l'adversité, indifférent aux compliments comme aux critiques) et demander aux autres plus qu'ils ne peuvent donner ou les entraîner dans des situations qu'ils ne sont pas capables d'assumer. Et passer pour un monstre froid ou un carriériste sans états d'âme (et sans pitié).

Des filières pour vous
Chirurgie, sécurité (prisons), psychiatrie, administration
européenne, cancérologie, magistrature, thanatologie.

VOS « NIVEAUX »
DE STABILITÉ ÉMOTIONNELLE

Anxiété

Un bon score à ce niveau (plus de 60 % de « serein ») correspond à une anxiété normale et favorise l'adaptation (les
réactions sont adéquates à la situation attendue) et l'action
(anticipation des événements et vigilance). En revanche,
un mauvais score (moins de 40 %) dénote une anxiété
excessive) et nuit à l'adaptation (peur du changement) et
à l'action (dramatisation des risques, procrastination).

Agressivité

Un score élevé dans cet indice (plus de 60 % de « calme »)
dénote une agressivité normale et favorise le *self-control*
(meilleure gestion des conflits) et la prise de risque. En
revanche, un score faible (moins de 40 %) se traduit
souvent par des comportements agressifs et des prises de
risque inconsidérées.

Dépression

Les personnes qui ont un haut niveau de D (plus de 60 %
de « dynamique ») présentent des tendances dépressives
normales et prennent plus d'initiatives (sont des forces de
proposition et d'action). En revanche, un mauvais score
(moins de 40 %) dénote des tendances dépressives excessives et se traduit par des comportements plus passéistes
ou suivistes.

Vulnérabilité

Les personnes qui ont un haut niveau de V (plus de 60 % de « non susceptible » sont peu sensibles au qu'en-dira-t-on et prennent les critiques (et les compliments) pour ce qu'ils sont (constructifs, hargneux, bienveillants, intéressés…). En revanche, un mauvais score à ce niveau (moins de 40 %) correspond à une estime de soi très instable (réactions excessives aux critiques, aux reproches, aux suggestions pour être plus productif, efficace).

Impulsivité

Les personnes qui réalisent un score élevé dans cet indice (plus de 60 % de « raisonnable ») se conduisent avec mesure et réflexion (recherchent des solutions fiables, durables, plutôt que faciles). À la différence de celles qui réalisent un score bas (moins de 40 %), plus impulsives et privilégiant le court terme sur le long terme.

VOTRE INDICE D'OUVERTURE D'ESPRIT

Le facteur « ouverture d'esprit » mesure la capacité à sortir des sentiers battus (routines, normes…) pour faire des expériences nouvelles et « think different ». Il met en œuvre différentes capacités : imagination (artistique ou pas), sensibilité (instinct, intuition), sens de l'abstraction, besoin de nouveauté, tolérance…

Voici une série d'adjectifs, tous positifs, présentés deux par deux. Ils ne sont pas forcément contradictoires. Certains ont même d'ailleurs un sens souvent très proche. Par exemple, vous pouvez très bien considérer que vous êtes aussi bien « Créatif » que « Méthodique ». Mais le principe de ce test, c'est de n'en choisir qu'un seul à chaque fois : celui qui vous semble le plus vous correspondre.

Vous êtes plus souvent… **ou plus souvent…**

Vous êtes plus souvent…	ou plus souvent…
○ Créatif	◆ Faisant confiance
■ Méthodique	○ Intuitif
○ Curieux	▲ Sociable
▲ Sûr de soi	○ Curieux
✳ Raisonnable	○ Intuitif
○ Curieux	◆ Faisant confiance
▲ Sociable	○ Ingénieux
○ Tolérant	▲ Sociable
◆ Faisant confiance	○ Intuitif
▲ Sûr de soi	○ Créatif
■ Prudent	○ Intuitif
○ Curieux	■ Méthodique
○ Créatif	✳ Raisonnable
◆ Dévoué	○ Curieux
○ Ingénieux	◆ Dévoué
◆ Dévoué	○ Tolérant

○ Créatif
◆ Altruiste
○ Curieux
◆ Altruiste
○ Tolérant
○ Créatif
○ Intuitif
◆ Solidaire
○ Curieux
◆ Compréhensif
◆ Solidaire
▲ De bonne humeur
○ Curieux
○ Intuitif
○ Tolérant
◆ Compréhensif
○ Ingénieux
○ Créatif
○ Créatif
▲ Sociable
▲ Sûr de soi
○ Créatif
▲ Énergique
○ Curieux
○ Ingénieux
▲ De bonne humeur
◆ Faisant confiance
▲ Énergique
○ Curieux
▲ Enthousiaste
◆ Compréhensif
○ Ingénieux

◆ Altruiste
○ Intuitif
◆ Altruiste
○ Ingénieux
◆ Altruiste
◆ Solidaire
◆ Dévoué
○ Intuitif
◆ Solidaire
○ Créatif
○ Ingénieux
○ Ingénieux
✳ Raisonnable
◆ Compréhensif
◆ Solidaire
○ Curieux
◆ Compréhensif
▲ Sociable
■ Méthodique
○ Intuitif
○ Tolérant
▲ Énergique
○ Intuitif
▲ Énergique
▲ Sûr de soi
○ Intuitif
○ Ingénieux
○ Ingénieux
■ Persévérant
○ Créatif
○ Tolérant
▲ Enthousiaste

▲ Enthousiaste
○ Créatif
○ Tolérant
○ Curieux
✽ Dynamique
○ Tolérant
○ Intuitif
✽ Raisonnable
■ Méthodique
○ Tolérant
○ Intuitif
■ Sérieux
○ Tolérant
■ Sérieux
○ Créatif
▲ Enthousiaste
■ Persévérant
■ Sérieux
■ Persévérant
■ Volontaire
○ Ingénieux
○ Tolérant
○ Intuitif
■ Volontaire
✽ Non susceptible
○ Ingénieux
✽ Non susceptible
○ Intuitif
○ Tolérant
○ Ingénieux
○ Créatif
✽ Calme

○ Tolérant
▲ De bonne humeur
▲ Énergique
▲ De bonne humeur
○ Ingénieux
▲ De bonne humeur
■ Sérieux
○ Ingénieux
○ Ingénieux
■ Méthodique
▲ Enthousiaste
○ Créatif
✽ Serein
○ Curieux
■ Persévérant
○ Curieux
○ Intuitif
○ Tolérant
○ Ingénieux
○ Créatif
■ Sérieux
■ Persévérant
■ Volontaire
○ Curieux
○ Curieux
✽ Non susceptible
○ Tolérant
✽ Calme
✽ Raisonnable
■ Volontaire
■ Prudent
○ Curieux

○ Ingénieux	✴ Calme
○ Tolérant	■ Prudent
○ Créatif	✴ Serein
✴ Serein	○ Intuitif
○ Curieux	■ Prudent
✴ Calme	○ Créatif
○ Tolérant	◆ Faisant confiance
◆ Dévoué	○ Créatif
■ Volontaire	○ Tolérant
■ Prudent	○ Ingénieux
✴ Calme	○ Tolérant
○ Créatif	✴ Dynamique
✴ Serein	○ Ingénieux
✴ Dynamique	○ Intuitif
○ Curieux	✴ Dynamique
○ Tolérant	✴ Dynamique
✴ Non susceptible	○ Créatif
○ Intuitif	✴ Non susceptible
○ Curieux	✴ Serein
○ Intuitif	▲ Sûr de soi

Comment analyser vos réponses

Vous pouvez analyser vos réponses de deux façons :

• **Globalement.** Comptez le nombre de symboles ○ que vous avez cochés : le chiffre que vous obtenez (compris entre 0 et 100) vous donne votre indice global d'ouverture d'esprit.

• **Indice par indice.** Comptez le nombre de fois où vous avez coché les différents adjectifs notés ○ : « créatif », « intuitif », « curieux », « ingénieux », « tolérant ». Puis multipliez chaque fois le chiffre obtenu par cinq pour avoir votre pourcentage dans chaque indice.

Votre indice d'ouverture d'esprit

Moins de 34 %
Indice bas

Votre profil
Vous êtes assez terre à terre, un peu figé dans vos habitudes, votre confort matériel et intellectuel, ancré dans vos principes (très traditionnels) et vos convictions (souvent celles de tout le monde). Vous êtes plutôt «pensée unique» (vous avez du mal à vous adapter aux idées, aux technologies nouvelles), routine (vous détestez les imprévus, les surprises) et vous avez tendance à traîner des pieds quand on vous impose des changements.

Vos risques
Avec vous, les gens, les choses, les idées doivent avoir fait leurs preuves ; vous vous méfiez de tout ce qui est nouveau, inconnu, à la mode ou étranger. Bref, vous êtes extrêmement frileux et vous avez tendance à tourner en circuit fermé. Forcément, vous pouvez devenir de plus en plus conformiste en vieillissant (vous vieillissez plus vite que les autres) et, parfois, déraper dans un ordre moral (ou intellectuel) un peu sévère, limite sectaire ou intégriste.

Des filières pour vous
DG, DRH, mode, professorat (dans le privé), stomatologie, commerce de l'art (commissaire-priseur…), immobilier (marchand de biens…), huissier.

De 34 à 66 %
Indice moyen

Votre profil
Plutôt bien. D'un côté, vous êtes très ouvert à la nouveauté (idées, gens), branché changements, nouvelles

technologies, sensible à la qualité de l'environnement, à la beauté. De l'autre, vous n'en gardez pas moins les pieds sur terre. Vous êtes assez anti-frime individuelle ou sociale (vous avez besoin de vrai, d'authentique) et vous restez attaché aux grands principes (travail, humanisme, devoir, fidélité…).

Vos risques
Cumuler les inconvénients au lieu des avantages. Vous montrer très individualiste, atypique (incapable de vous intégrer dans une structure hiérarchisée) quand il s'agit de vous, mais vous montrer très conventionnel et conformiste (rigide sur les règles, les procédures, les méthodes…) quand il s'agit des autres.

Des filières pour vous
Librairie, gestion (banques de données), professorat (français, philosophie), journalisme, reportage (presse, télé), relations publiques, (événementiel), animation (radio), photographie (people), antiquité-brocante.

PLUS DE 66 %
Indice élevé

Votre profil
Vous êtes intellectuellement curieux, intéressé par votre environnement (physique, culturel) et vous avez souvent une sensibilité artistique (quand ce n'est pas un talent). Vous avez plutôt une vision globale des choses et vous les comprenez d'intuition (ou d'instinct) sans être obligé de les décortiquer. Vous êtes généralement mobile (mode de vie, goûts, centres d'intérêt, milieux sociaux) et ouvert aux changements et à la nouveauté.

Vos risques
Avide de sensations, d'expériences, hédoniste dans l'âme, vous pouvez sacrifier au plaisir, à la nouveauté au détriment

des valeurs sûres (travail, mérite, éthique). Et robotisé dans une multinationale ou fringuant dans une petite équipe ou free-lance, ne plus voir que le côté « mercenaire » des choses (l'argent), votre « tolérance » devenant du laxisme (moral) et du je-m'en-foutisme (« y a que moi qui compte »).

Des filières pour vous
Musique, création littéraire, direction artistique (pub), conception-rédaction, stylisme (mode), journalisme (rédaction en chef), écriture de scénarios, diplomatie, etc.

VOS « NIVEAUX » D'OUVERTURE D'ESPRIT

Inventivité
Les personnes qui réalisent un haut score en Iv (plus de 60 % de réponses « créatif ») font d'abord marcher leur imagination (se montrent créatives, innovantes) pour résoudre les problèmes. À la différence des faibles scores (moins de 40 %) qui préfèrent appliquer des méthodes éprouvées, suivre les procédures habituelles.

Intuition
Les personnes qui ont un haut degré de It (plus de 60 %) ont du flair pour sentir et deviner les choses. Elles savent souvent (d'instinct, d'expérience) ce qui va marcher et excellent en général dans les stratégies et les projets à long terme. À la différence des bas scores (moins de 40 %), plus doués pour les réalisations à court terme.

Curiosité
Un score élevé dans cet indice (plus de 60 %) donne des personnes qui savent faire face à l'imprévu, s'adapter au changement et trouver des solutions originales. Les bas scores (moins de 40 %) se montrent plus à l'aise dans la

routine et ont plus de mal à se remettre en question et à s'adapter à la nouveauté.

Compréhension

Un haut score dans cet indice (plus de 60 % de « ingénieux ») donne des facilités pour jouer avec les idées, les théories, les systèmes (don pour synthétiser les informations, faire du neuf en intégrant des éléments apparemment sans rapport). Les bas scores (moins de 40 %) sont, en revanche, plus fermés aux idées nouvelles et privilégient plutôt les contacts et le concret.

Tolérance

Les personnes qui réalisent un haut score (plus de 60 %) dans cet indice admettent que les autres pensent et agissent d'une manière différente de la leur. Elles ont plus de facilités pour déléguer que les bas scores (moins de 40 %), plus conventionnels et conformistes (rigides sur les règles, les procédures, les méthodes…).

LA BONNE ADÉQUATION PROFIL/JOB

*Avez-vous le profil « leader », « créatif » ou « commercial »… ?
Êtes-vous en phase avec vos études, votre recherche d'emploi
ou votre travail ? Les différents niveaux d'indices (bas, moyen
ou élevé) que vous avez obtenus vous ont permis de définir
votre profil psychoprofessionnel global.*

Partant de là, vous pouvez déterminer le type de poste
(selon votre indice dominant) et de fonction (selon vos
deux, trois indices les plus élevés) où votre coefficient de
corrélation (profil/job) est le plus élevé et où, normalement, vous devriez faire des étincelles.

Les postes

Votre indice dominant

Extraversion
Tous les postes commerciaux dans le marketing (produits,
prix, publicité et promotion) ou la vente.

Convivialité
Tous les postes de services, de formation et de relations
sociales dans l'entreprise ou hors entreprise.

Conscience professionnelle
Tous les postes administratifs et de gestion : organisation,
méthodes, gestion courante, contrôle de gestion, finances,
comptabilité.

Stabilité émotionnelle
Tous les postes de la production : exploitation, fabrication, technico-commercial, entretien, achats, planning.

Ouverture d'esprit
Tous les postes créatifs dans les études, la recherche, le
développement et la communication.

Les fonctions
Vos indices dominants

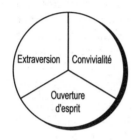

Grand manitou (ou petit patron)
C'est celui qui « règne » (mais ne gouverne pas forcément). Il a tous les talents d'un super RP (mondain, chaleureux), mais aussi la ruse d'un chacal (renifle les « bons coups »). D'une loyauté parfois douteuse, capable de grosses colères, il sait surtout tirer le meilleur parti des autres.

Manager
Bras droit du manitou, homme ou femme d'expérience, il a de nombreuses qualités (ouvert, énergique, actif, enthousiaste, mais aussi réfléchi, persévérant, fiable…). Il est capable de déléguer, de se remettre en question, de faire face aux conflits et de résister à l'échec.

Chef d'équipe
Homme ou femme de poigne avant toute chose. Pour organiser et diriger le travail des autres, il doit pouvoir s'imposer, motiver, stimuler, bref commander. Ses qualités : analyser (rapido) une situation, un problème, prendre des décisions et veiller à leur exécution.

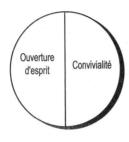

Créatif

Chargé d'études, chef de projet pour un nouveau produit ou grand communicant (directeur de la création dans la pub, par exemple), très sensible au monde extérieur, le créatif se fait d'abord remarquer pour son flair (sait d'intuition ce qui va marcher) et son ingéniosité (sait comment faire pour que ça marche). Mais il doit aussi avoir une bonne dose de confiance (en lui, en l'avenir).

Conseiller

Il est les oreilles et les yeux du grand manitou, parfois son éminence grise. Son titre est souvent flou (consultant, chargé d'études, planneur-stratégique, psychologue-conseil…). Étant très stratégique (volontaire, prudent, persévérant), il est censé voir le long terme (donc être à la fois très ouvert sur le monde extérieur, très tendances profondes), mais aussi gérer les crises (animal à sang froid).

Administratif

Simple exécutant ou cadre, c'est le col blanc, la cheville ouvrière de l'entreprise: consciencieux, fiable, rigoureux, efficace. Mais il doit aussi avoir bon caractère pour travailler en équipe, accepter et exécuter les ordres.

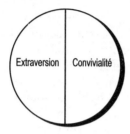

Commercial

Paré de toutes les séductions, il doit remporter tous les succès. Spécialiste du marketing ou vendeur sur le terrain, c'est un enthousiaste, sûr de lui. Les qualités qui le distinguent des autres : l'ambition, le goût du risque, la grande puissance de travail, la débrouillardise et la ténacité.

Opérateur

C'est celui qui fait, qui produit, qui fabrique : l'ouvrier, l'artisan, le technicien, le paysan. Il doit penser en termes d'efficacité, de méthode, de rentabilité et, en même temps, être « solide » pour régler les problèmes, faire face aux imprévus et résister au stress et à l'échec.

« Homme » de terrain

C'est le soldat, l'exécutant. Il doit être sérieux, volontaire pour atteindre le but qu'on lui a fixé et, en même temps, avoir une bonne dose de confiance en lui et de sociabilité parce qu'il a souvent affaire aux autres.

VOTRE NIVEAU
DE PERFORMANCE

Une chose est de savoir pourquoi on est fait, une autre de savoir ce qu'on peut faire. Quelle est votre puissance de travail ? Êtes-vous capable d'avoir et de garder un niveau d'activité élevé, de rester efficace en dépit des changements d'environnement, d'interlocuteurs, de responsabilités ou de tâches ? Êtes-vous capable de rester efficace dans des situations décevantes et/ou hostiles malgré la pression et les échecs ? Etes-vous capable d'initiatives, d'être une force de proposition et d'action plutôt que simplement réactif, de convaincre vos interlocuteurs (écouter, argumenter, remporter l'adhésion) de penser et d'agir dans le sens que vous voulez ? C'est de tout cela et de bien d'autres choses encore qu'il est question dans les chapitres suivants.

VOTRE DEGRÉ DE MOTIVATION

La motivation, et ce qui va avec : la puissance de travail, l'implication, la prise d'initiatives, l'ambition, c'est parfois tout ce qui fait la différence. On peut parfois faire beaucoup avec peu de moyens (diplômes, argent, relations, etc.) ou, au contraire, avoir un super-potentiel (intelligence, charisme…), mais peu de résultats (travail ennuyeux, chômage longue durée…). De quoi cela dépend-il ? Beaucoup de la volonté dont on est capable. De son degré, mais aussi de sa forme.

Ce test est conçu pour évaluer votre volonté d'un point de vue quantitatif et qualitatif. Et, *in fine*, vous donner les moyens de l'optimiser et de surmonter vos faiblesses. Voici trente-deux situations typiques : cochez, dans la colonne de droite ou de gauche, celle qui colle le plus à votre personnalité (forcez-vous à répondre si aucune ne vous satisfait vraiment).

Vous vous contentez toujours de faire les choses bien, sans plus. ▲	Vous avez besoin que tout soit parfait. ◯
Vous trouvez que les gens n'ont que ce qu'ils méritent. ✳	Vous vous apitoyez facilement sur le sort des autres. ✶
Vous pouvez travailler des heures (au moins dix) sans vous arrêter. ▲	Vous vous fatiguez vite : vous avez besoin d'arrêter souvent pour récupérer. ➢
Vous êtes toujours de bonne humeur quand vous vous réveillez (même si vous avez une journée chargée). ❑	Vous êtes très rarement de bonne humeur au réveil. ➢
Vous suivez des cours de management le soir pour monter un jour votre propre boîte. ▲	Vous regardez votre mère faire la cuisine pour être plus tard « femme au foyer ». ◆
Quand vous êtes concentré, le monde peut s'écrouler autour de vous. ▲	Vous êtes facilement distrait dans votre travail. ✶

Quand vous avez une idée, vous trouvez toujours une solution. ✳

Quand quelqu'un vous plaît, vous l'abordez, même s'il est déjà accompagné. ◆

Vous vous énervez rarement quand on vous dérange dans votre travail. ✳

Vous êtes plus efficace quand vous pouvez prendre des initiatives. ■

Vous pensez qu'il y a dans la vie des choses qui sont beaucoup plus importantes que l'amour. ✳

Vous vous fichez de ce que les autres pensent de vous. ■

Vous savez toujours quels vêtements porter en quelles circonstances. ✳

Vous prenez facilement des habitudes. ■

Vous avez fait des études parce que vous aimiez ça. ✶

Vous avez souvent des idées fixes. ■

Dès que quelqu'un vous prend la tête, vous cassez tout de suite. ❑

À l'école, vous étiez bon en gym. ❑

Vous jugez plutôt les gens sur les actes et sur les résultats. ▲

Vous avez toujours plein d'idées ; ce sont les moyens qui vous manquent. ✶

Vous n'osez pas s'il est en main. ◆

Vous détestez être interrompu quand vous faites quelque chose. ○

Vous avez besoin qu'on vous dise ce que vous avez à faire pour être efficace. ◆

Pour vous, le plus important dans la vie, c'est d'aimer et d'être aimé. ○

Vous êtes sensible aux compliments et aux reproches. ◆

Vous avez toujours du mal à choisir vos vêtements. ✶

Vous ne savez pas ce que vous allez faire demain. ➢

Vous avez fait des études pour faire plaisir à vos parents. ◆

Vous changez tout le temps d'avis. ✶

Vous lui trouvez toujours des excuses. ◆

Vous séchiez souvent les cours de gym. ➢

Pour vous, ce qui compte vraiment, c'est ce sont les sentiments, les intentions. ○

Vous êtes entier dans vos idées et vos sentiments (vous vous entêtez facilement). ■

Vous ne vous rappelez presque rien de votre enfance. ■

Une personne de perdue, dix de retrouvées. ❏

On vous jette par la porte, vous rentrez par la fenêtre. ✶

Vous aimeriez sauter en parachute au moins une fois. ❏

Vous déprimez quand vous n'avez rien à faire pendant cinq minutes. ▲

En vacances, vous ne vous levez jamais avant midi (même quand vous n'avez pas fait la fête toute la nuit). ❏

Quand vous avez un truc pénible à faire, vous vous en débarrassez tout de suite. ☜

Vous avez déjà essayé d'arrêter de fumer une bonne centaine de fois. ❏

Vous stressez à mort avant chaque épreuve (mais vous réussissez presque tout). ▲

Vous savez ce que vous ferez dans quatre, cinq ans. ✷

Au bureau, vous aidez sans qu'on ne vous demande rien. ▲

Vous êtes très ponctuel à vos rendez-vous (vous arrivez même souvent en avance). ■

Vous essayez toujours de ménager la chèvre et le chou. ➢

Vous repensez souvent à votre enfance avec nostalgie. ◆

Vous avez souvent peur que l'autre ne vous quitte. ◆

Vous allez vous cacher tellement vous avez honte. ○

Même pas en rêve. ○

Vous rêvez de passer trois nuits au lit à ne rien faire. ➢

Vous continuez à vous lever avec les poules pour profiter un max. ○

Vous attendez toujours la dernière minute. ➢

Vous ne dites jamais non à un pétard quand on vous le propose. ✶

Vous êtes hyper-cool (mais vous ratez souvent : on ne peut rien contre son destin). ✶

Vous vous demandez souvent (avec angoisse) ce que l'avenir vous réserve. ○

Vous vous défilez toujours quand vous voyez venir les corvées. ➢

Vous êtes presque tout le temps en retard (pourtant, vous courez). ✶

Comment analyser vos réponses

Comptez le nombre de croix que vous avez faites dans chaque colonne.

Majorité de croix dans la colonne de gauche: vous appartenez à la catégorie des « volontaires » (motivations fortes).

Majorité de croix dans la colonne de droite: vous faites partie des « non volontaires » (motivations faibles).

Comptez ensuite les différents symboles que vous avez cochés dans votre colonne dominante et reportez-vous au profil correspondant.

LES VOLONTAIRES

MAJORITÉ DE ❑
Votre profil: « Fonceur »

Ultramotivé, toujours partant, vous ne vous perdez pas en hésitations, vous savez vous décider rapidement (revers de la médaille: vous n'admettez pas que vous pouvez vous tromper). Vous n'épargnez pas votre enthousiasme, votre énergie pour montrer que vous êtes le plus fort, le plus apte à survivre en milieu hostile. Vous ne détestez pas monter au front, prendre des risques (beaucoup d'audace). Vous fonctionnez « à plein rendement » dans les situations de crise (beaucoup de sang-froid). Habitué de l'action directe, vous obtenez des résultats tangibles (des succès) en surprenant, en étonnant ou en effrayant tout votre petit monde.

Votre force
Socialement, vous ne doutez de rien: vous avez le sentiment que tout vous est possible. En plus, vous ne voyez pas les obstacles. Du coup, vous réussissez souvent là où

d'autres n'oseraient même pas essayer. Vous obtenez pas mal de choses au culot, sur votre bonne mine. Trois mois de formation, ça vous suffit pour vous prendre pour un pro du management ou du multimédia et pour convaincre les autres.

Vos risques
En apparence, vous êtes un battant, vous êtes très armé pour la compétition. Mais, au fond, vos succès doivent toujours beaucoup à la chance ou à la faiblesse des autres. Votre audace, c'est plus de l'impulsivité qu'une vraie preuve de volonté. Et souvent de l'imprudence : vous jouez un peu trop avec le feu ou avec vos nerfs. C'est hyper-stressant (trop d'angoisses, de rapports de force) pour tout le monde et intenable sur la longueur.

Comment optimiser
Vous devez réfléchir avant d'agir : apprendre à être patient (au lieu d'agir toujours tout de suite parce que vous ne savez pas attendre) et prendre des risques seulement quand c'est la meilleure solution (au lieu de jouer systématiquement l'audace parce que vous ne savez pas être prudent).

MAJORITÉ DE ▲
Votre profil : « persévérant »

Ultra-accrocheur, très « concentré », vous êtes particulièrement armé pour la compétition sociale (ou amoureuse). Moral d'acier et âme bien trempée, vous avez tendance à considérer la vie comme un parcours du combattant (jusqu'à présent, vous n'avez jamais fléchi). Non seulement vous ne rechignez pas à l'effort (vous chargez beaucoup la mule), vous savez aussi attendre votre heure (vous ne la ramenez pas avec vos ambitions). Et plus les enjeux sont élevés (vous avez le bon sens de ne pas tenter l'impossible), plus vous êtes tenace.

Votre force

Votre volonté est plutôt bien canalisée (la plupart du temps). Vous savez cibler des objectifs et vous êtes d'autant plus réaliste que vous les savez difficiles à atteindre. Vous vous fixez des étapes (à moyen et long terme) et vous prenez le temps nécessaire. Vous allez toujours jusqu'au bout de vos projets, quitte à supporter ou à encaisser beaucoup (rien ne vous abat jamais très longtemps).

Vos risques

Ancré dans vos décisions, vos choix (vous ne revenez jamais dessus), vous perdez en efficacité quand vous devez vous adapter (dans l'urgence), improviser (face à l'imprévu). Dès que votre programme est chamboulé (par les événements, les autres...), vous perdez vos points de repère et vous avez tendance à bloquer sur l'obstacle, la difficulté et à vous entêter contre vents et marées.

Comment optimiser

Vous devez être plus cool : comprendre que votre obstination est un réflexe défensif (au fond, vous avez peur de rater), apprendre à contourner les obstacles (au lieu de les prendre de front), sentir quand c'est le moment de faire une percée (décisive) ou de décrocher (momentanément).

MAJORITÉ DE ✿
Votre profil : « stratégique »

Vous voulez beaucoup, vous voyez parfois grand, mais toujours dans vos cordes. Vous ne rêvez pas de devenir top ou champion de basket quand vous mesurez 1,60 m ou de faire une carrière internationale si le simple fait de voir un avion à la télé vous file la nausée. Vous ne vous attendez pas non plus à ce que les alouettes vous tombent toutes rôties dans le bec. Bien sûr, vous croyez à la chance, mais, comme on dit, « aide-toi et le ciel t'aidera ». Aussi vous ne laissez rien au hasard. Quand vous voulez quelque chose, vous mettez tout en jeu pour l'obtenir (même si ce n'est pas grand-chose).

Votre force

Ne jamais prendre les problèmes de front. Votre style de volonté s'apparente à celle d'un joueur d'échecs : beaucoup de réflexion avant d'agir, de prudence ensuite. Chez vous, peu de coups d'éclat, mais une suite d'actions longuement préméditées. Vous prenez le temps de placer vos pions, vous prévoyez les réactions possibles et vous anticipez. Vous avez toujours plusieurs scénarios de rechange dans votre besace pour vous adapter.

Vos risques

Parfois, vous êtes trop calculateur. Alors, vous n'avez pas le réflexe et vous laissez passer votre chance quand elle se présente. Ou vous compliquez les choses. Par exemple, vous montez toute une usine à gaz pour obtenir que Benoît aille chercher votre petite sœur à l'aéroport ou que votre patron vous offre le dernier portable PC (cher) alors que ce serait plus simple de le leur demander. Résultat : vous passez souvent pour un manipulateur, une fille ou un garçon intéressé(e).

Comment optimiser

Jouez moins perso, secret. Les gens autour de vous ne sont pas tous des rivaux ou des ennemis en puissance. C'est bien d'être patient, de savoir ruser, mais vous réussirez beaucoup mieux (et plus vite) en étant plus spontané. Et plus réactif, ouvert aux circonstances. La vie nous apporte souvent les choses qu'inconsciemment nous voulons vraiment. On ne sait pas qu'on les veut tant qu'on ne les a pas eues. Trop bête de les rater.

Majorité de ▉
Votre profil: « psychorigide »

Pas de doute, vous êtes volontaire, extrêmement déterminé même. Mais à ce point-là, c'est presque du fanatisme. Vous ne vous décidez jamais à la légère, vous avez parfois des difficultés pour vous engager, mais après c'est du sûr, de l'inébranlable. Pour vous, une décision, une promesse (faites à vous-même ou aux autres), c'est sacré. Pas question de ne pas les tenir, de changer d'avis, de cap ou de direction. Accro à vos principes, vous manquez de souplesse. Et souvent vous vous obstinez envers et contre tout, au-delà de ce qui est raisonnable.

Votre force
L'inébranlable fermeté de vos décisions. Quand vous vous êtes fixé un objectif, vous êtes capable de déplacer ciel et terre pour y arriver. Rien ne peut vous en détourner. Ni les difficultés pratiques (vous trouvez les moyens), ni les imprévus (des incidents de parcours, vous récupérez vite après un échec), ni le manque de soutien, voire l'opposition, des autres (vous assumez vos choix comme un grand).

Vos risques
En restant fidèle à votre première décision envers et contre tout, vous devenez souvent l'esclave de votre propre volonté. Vous n'osez plus changer vos plans (alors que ce serait plus réaliste et plus profitable) sans vous sentir inconsciemment coupable et menacé. Votre jusqu'au-boutisme implique souvent plus de la méfiance de soi que de la confiance en soi.

Comment optimiser
Vous devez prendre les choses à l'envers. Pas pour tout, seulement pour ce que vous croyez vouloir dur comme fer. Chaque fois que vous êtes prêt à vous faire tuer

pour obtenir quelque chose, posez-vous la question : « Et après ? » Demandez-vous si vous en avez vraiment besoin. Imaginez une vie positive sans. Vous verrez ! Après, ce vous sera plus simple de passer des compromis avec la réalité, de changer vos plans sans avoir l'impression chaque fois que le monde va s'effondrer.

LES NON VOLONTAIRES

MAJORITÉ DE ◆
Votre profil : « dépendant »

Consciencieux, vous êtes plein de bonne volonté (vous voulez toujours bien faire). Votre patron, vos collaborateurs peuvent compter sur vous pour ne pas créer de problèmes. Dans votre travail, au bureau, vous faites souvent davantage et mieux que les autres. Ou, au contraire, vous êtes le canard boiteux de l'équipe. Votre refrain favori : « Je fais ce que je veux, quand je veux », c'est votre façon d'être de mauvaise volonté. Vous faites les choses en traînant des pieds (et souvent le contraire de ce qu'on vous demande).

Votre faiblesse
Dans un cas comme dans l'autre, vous n'avez pas de volonté personnelle. Vous vous déterminez uniquement par rapports aux autres. Soit en la jouant obéissant : vous pensez et vous voulez ce qu'ils pensent et veulent. Soit en vous révoltant : vous décidez et vous agissez en prenant le contre-pied. Ça revient au même. En vous démarquant systématiquement des idées et des projets des autres, vous subissez aussi étroitement leur influence qu'en leur obéissant. Résultat : vous êtes sur des rails ou alors vous vous cherchez, mais au fond vous ne savez pas ce que vous voulez vraiment, ce qui est bien pour vous.

Comment la surmonter
Ça dépend de votre profil.

1. Vous êtes plutôt un obéissant

Vous ne pouvez pas tout plaquer (votre travail, votre patron, votre vie...) du jour au lendemain en disant « c'est pas moi tout ça » et attendre l'inspiration : « Voilà, c'est ce que je veux ! » Vous êtes bien obligé de faire avec vos « choix » actuels. En revanche, il y a tous les jours d'autres choix à faire, d'autres décisions à prendre. Chaque fois que c'est possible, posez-vous la bonne question : « Est-ce que c'est moi qui veux ça ? » ou « c'est ce que les autres voudraient pour moi ? ». Et, surtout, projetez-vous dans l'avenir : « Franchement, je me vois dans cinq ans avec cette vie, ce job, ce patron... -là ? »

2. Vous êtes plutôt un rebelle

Aujourd'hui, vous êtes sur une position tout ou rien où vous rejetez en bloc les valeurs (sociales, familiales...). Votre volonté s'exerce « contre » (plus ça contrarie les autres, plus vous êtes décidé). Comment savoir ce que vous voulez vraiment, vous ? En tentant une expérience. Toutes les idées des autres ne sont pas bonnes à jeter. Choisissez-en une (quelque chose que votre patron, mais pourquoi pas, votre moitié, vos parents aimeraient vous voir faire) et engagez-vous à fond. Après, seulement, vous saurez ce qui est bien ou pas bien pour vous.

MAJORITÉ DE ✳

Votre profil : « Velléitaire »

Beaucoup d'intentions « fortes ». À vous entendre, vous allez casser la baraque. Mais, concrètement, vous manquez de suite dans les idées. Vous agissez sur un coup de tête (de cœur, de foudre...). Mais, très vite, si vos premières tentatives ne sont pas couronnées de succès, vous vous lassez et vous abandonnez. Et, même quand elles le sont, vous zappez. Résultat : vous commencez mille choses différentes, mais vous allez rarement jusqu'au bout de vos projets.

Votre faiblesse
Il s'agit ici d'une inconstance de la volonté. Vous voulez mou : ça reste au niveau de l'intention, vous ne prenez pas de décision. Ou alors pas durable : vous êtes incapable d'effort dans ce que vous entreprenez. Vous n'êtes pas plus motivé par le succès que par l'échec. Il n'y a que la nouveauté (projets, activités…) pour vous stimuler (passagèrement). Vous avez besoin de changer tout le temps. Ce que vous ne connaissez pas vous intéresse toujours beaucoup plus que ce que vous connaissez. Vous imaginez toujours que l'herbe serait plus verte dans une autre boîte, un autre job, avec un autre patron, d'autres collègues, une autre moitié. Ce que vous n'avez pas vous attire toujours plus que ce que vous avez. Mais tout ça aboutit rarement, faute de persévérance.

Comment la surmonter
D'abord, en étant réaliste. Pas question d'espérer vous forger une volonté de fer (une velléité de plus !). En revanche, vous pouvez limiter les dégâts. La solution : arrêter de vous disperser. Tous les velléitaires courent toujours plusieurs lièvres à la fois (pour être bien certains de n'en attraper aucun). Alors, limitez-vous. Essayez, pour une fois, de vous engager vraiment (dans un projet, un job, avec quelqu'un…) et d'aller jusqu'au bout. Tant pis si vous vous trompez. Même en cas d'échec, à terme vous êtes gagnant : vous devenez « adulte ».

Majorité de ➤
  Votre profil : « aboulique »

Pas plus de volonté qu'un navet. Ça peut prendre plusieurs formes. La procrastination : vous remettez systématiquement au lendemain ce que vous pouvez faire le jour même (genre réviser le bac trois jours avant). L'idéalisme : des objectifs inaccessibles (même pas la peine d'essayer), des conditions optimales pour passer à l'action (tant qu'elles ne sont pas réunies – elles ne sont jamais –, vous ne levez pas le petit doigt). Le pessimisme : vous dramatisez les difficultés (réelles) ou vous imaginez toutes sortes de complications futures pour avoir de bonnes raisons de baisser les bras aujourd'hui. Résultat de tout ça : vous entreprenez et vous réalisez peu de choses, en trouvant que c'est déjà bien d'y arriver.

Votre faiblesse

Une inhibition de la volonté. C'est, parfois, de la paresse : vous allez au plus facile pour en faire le moins possible. Parfois aussi, de la lâcheté : vous renoncez pour fuir les embêtements (quitte à vous faire avoir). Ou alors des complexes : vous manquez de confiance en vous (cassé par des parents hyperdirectifs, traumatisé par un échec...), vous ne vous croyez capable de rien, vous voulez petit. Ou encore une conduite d'échec (dans ce cas, vous avez l'illusion de vouloir) : vous dressez vous-même les obstacles qui vous empêchent d'avancer (de vouloir, d'agir, de réussir...) ou vous ne vous engagez que sur des voies de garage (petits boulots, patrons minables, boîtes sans avenir).

Comment la surmonter

En vous entraînant à vouloir. La volonté, c'est comme les muscles, ça peut se durcir. La méthode consiste à faire la liste des dix choses, petites ou grandes, que vous voudriez faire dans l'idéal. Par exemple : repeindre mon appart, ne plus me laisser martyriser par Brigitte (l'âme damnée du chef), inviter à dîner Benoît (le DRH) qui me fait craquer, passer mon permis de conduire moto, demander une augmentation à mon patron, etc. Puis à y réfléchir et à classer de « - pénible » à « + pénible ». Ensuite, vous prenez en

main la numéro 1 (la moins pénible) et vous vous y mettez tout de suite. Le principe, c'est d'y consacrer chaque
fois le temps nécessaire (de quelques minutes à plusieurs
mois), de ne passer au dossier suivant que lorsque vous
avez complètement bouclé le précédent.

MAJORITÉ DE ❍
Votre profil : « obsessionnel/chimérique »

Coupeur de cheveux en quatre, vous ne bougez jamais
d'un millimètre avant d'avoir tout prévu. Vous cherchez
toujours (et vous les trouvez) la petite bête, les risques, les
inconvénients : chic, un pique-nique, une promo, oui
mais... les embêtements, les araignées, la foudre, les
embouteillages. Et vous pensez aussi aux conséquences
lointaines et fâcheuses de vos actes (modèle : j'apprends à
conduire = j'ai une voiture = j'ai un accident). Ou alors,
tout le contraire, vous vivez dans l'illusion : vous entreprenez des choses (études, métier, relation...) sans avenir,
vous vous préparez indéfiniment pour des événements qui
n'auront jamais lieu (donner votre démission, partir à
New York, exposer vos œuvres...).

Votre faiblesse
L'indécision. Look bonne sœur ou cow-girl ? Jeans ou
costume ? Mac ou PC ? En butte à ces équations simples,
vous passez des semaines à soupeser le pour et le contre, à
vous prouver par a + b qu'il y a autant de raisons de choisir les uns ou les autres. Vous croyez être objectif, mais
dans votre tête les choses sont toujours égales ou « le
contre » l'emporte sur « le pour » : vous ne pouvez plus
vous décider. Ou alors votre volonté n'a pas de prise sur
le réel : vous avez deux vies. Dans l'une, vous êtes efficace : vous voulez et vous avez des choses qui ne
correspondent pas à vos aspirations profondes (par
exemple, vous êtes chef comptable alors que vous détestez
et les chefs et les chiffres). Dans l'autre, vous rêvez d'un

tour du monde en bateau, de vous expatrier en Australie, de ne plus courir après l'argent… et vous vous interdisez toute réalisation.

Comment la surmonter
Ça dépend de votre profil

1. Vous êtes plutôt obsessionnel
Votre ennemi, c'est la logique. Dès que vous commencez à raisonner, c'est fichu. Alors, forcez-vous systématiquement à suivre votre première impulsion (comme l'impression, c'est la bonne). Démarrez au quart de tour et maintenez la pression. Comme ça, vous ne vous laisserez pas le temps de vous poser trop de questions. Ou de changer d'avis.

2. Vous êtes plutôt chimérique
Le problème, dans ce cas, c'est que vous n'avez pas l'impression d'être en manque. Pour vous, penser à une chose (un voyage, un travail, une relation, un fauteuil de chef…), c'est comme la vivre. Mieux même parce qu'en restant dans le virtuel, vous évitez les risques, les inconvénients du monde réel. Seul moyen de vous en sortir, c'est de dire «basta» une bonne fois pour toutes à vos fantasmes. Pensez à un truc qui vous fait vraiment rêver ou dont vous avez très envie et «*just do it*».

Vos capacités d'adaptation

L'anxiété, c'est notre lot à tous, une composante indispensable de la nature humaine. Sans elle, pas de curiosité, d'intelligence des situations, de créativité ni, même, d'empathie ou de socialité. En revanche, une anxiété excessive inhibe les capacités d'adaptation et d'action, peut paralyser (comme dans la timidité) la prise d'initiative et le changement. Quel est votre niveau d'adaptabilité, qu'est-ce qui vous empêche d'avancer? Comment y remédier? Cochez chaque fois que vous vous reconnaissez dans les affirmations suivantes.

■ On vous a souvent reproché de voir le mal partout, d'être trop négatif.

✣ Vous trouvez votre conjoint un peu, voire très immature.

✣ Vous avez du mal à jeter les choses (même quand elles n'ont aucune valeur ni importance sentimentale).

■ Ça vous est déjà arrivé (plus d'une fois) juste avant ou pendant les vacances d'avoir un « bobo » (cheville foulée, grippe, etc.) qui vous empêche d'en profiter.

✣ Cela vous arrive souvent (au moins une fois sur trois) de retourner dans une boutique pour échanger quelque chose que vous avez acheté (vêtement, objet, etc.).

✣ Quand vous donnez quelque chose à faire à quelqu'un (au bureau, à la maison), vous avez tendance à repasser derrière lui (souvent pour refaire les choses à votre façon).

■ Après un succès (professionnel, amoureux, etc.), vous éprouvez souvent un vague sentiment de culpabilité (ou vous vous sentez un peu déprimé).

❍ Vous vous réveillez souvent aux aurores (même quand vous vous êtes endormi très tard).

❍ Le week-end, vous avez du mal à rester sans rien faire ; vous avez sans cesse besoin de vous occuper.

■ Vous trouvez que votre meilleur ami a tendance à rabâcher toujours les mêmes problèmes.

✳ Quand vous avez le choix, vous allez toujours dans les mêmes boutiques et les mêmes restaurants.

✳ Vous n'êtes pas très à l'aise quand vous connaissez peu ou pas du tout les gens.

■ Dîners, week-ends, sorties, fêtes… Vous refusez la plupart des invitations (vous êtes trop fatigué, vous n'avez pas le temps, etc.).

❍ Vous réagissez souvent d'une manière excessive aux critiques ou à la désapprobation.

❍ Vous adorez regarder des films d'horreur.

■ Quand ça ne va pas (mentalement, physiquement), vous avez besoin d'être seul.

✳ Quand vous êtes chez vous, vous fermez toujours la porte à clef le soir (même souvent dans la journée).

✳ Avant de sortir de chez vous, vous vérifiez toujours que vous n'avez rien oublié (et souvent plutôt deux fois qu'une).

■ Vous avez souvent peur d'être déçu par les gens (vous préférez d'ailleurs imaginer le pire pour ne pas avoir de mauvaise surprise).

❍ Vous avez tendance à commencer mille choses et à n'en finir aucune.

❍ Vous n'êtes pas très ponctuel : vous arrivez souvent en retard à vos rendez-vous, vous avez du mal à tenir les délais, etc.

■ Quand vous regardez ce que vous avez fait jusqu'à présent (carrière, enfants, famille…), vous n'êtes pas très satisfait de vous-même.

✳ Vous avez tendance à tout prendre très au sérieux (on vous a d'ailleurs souvent reproché de manquer d'humour ou de légèreté).

✳ Vous êtes quelqu'un de plutôt réservé dans vos relations avec les autres (vous êtes peu démonstratif même quand vous connaissez ou vous aimez bien les gens).

cas, aujourd'hui, vous avez un fort sentiment de sécurité qui résiste à toutes les petites agressions de la vie quotidienne. Comme toutes les personnes paisibles, vous vivez dans le présent (sans pour autant être une tête de linotte) sans vous inquiéter de l'avenir et d'éventuels problèmes : vous vous en occuperez quand il sera devenu le présent. De fait, vous avez rarement du mal à vous adapter : vous restez efficace en dépit des changements d'environnement, d'interlocuteurs, de responsabilités ou de tâches.

DE 32 À 48 %
Moyen

Vous n'êtes pas d'une sérénité à toute épreuve : vous vous inquiétez souvent pour des bricoles (qu'est-ce qu'Untel va penser de vous, est-ce que vous allez ou non réussir la mayonnaise, etc.), vous êtes facilement préoccupé par votre avenir ou celui de vos proches. Mais, a priori, vous ne souffrez pas ou peu de votre anxiété : elle ne vous envahit jamais au point de vous empêcher d'aimer, de vivre et/ou de travailler. Vous arrivez à la gérer correctement au quotidien, en évitant au maximum les situations que vous savez anxiogènes pour vous et en compensant dans des activités agréables quand vous ne pouvez pas vous défiler. Vous pouvez être momentanément déstabilisé à la perspective d'un changement, mais généralement ça ne dure pas : vous trouvez très vite les ressources en vous pour vous adapter.

DE 50 À 74 %
Bas

Pas de doute, vous faites partie des 25 % de Français (15 millions au bas mot) qui souffrent un jour ou l'autre dans leur vie de troubles anxieux. Cela peut se manifester physiquement (tensions, douleurs musculaires, fébrilité, sensation d'étouffement, « boule dans la gorge », etc.) et/ou pratiquement (timidité, jalousie, pessimisme, irritabilité excessifs). Quoi qu'il en soit, vous devez vous « ajuster » pour mieux vivre avec votre anxiété. Car aujourd'hui, vous avez tendance à perdre beaucoup de vos moyens en cas de changement d'environnement ou d'interlocuteurs. Deux priorités : avoir une meilleure hygiène de vie (les bons dormeurs et les sportifs sont moins anxieux) et apprendre à relativiser (par l'humour, le jeu, l'action, la relaxation, la prière, etc.).

PLUS DE 74 %
Très bas

Chez vous, le gène (SLCA4) responsable des pensées négatives est-il trop court comme chez les grands angoissés et pessimistes ? Ou avez-vous vécu votre enfance dans un climat d'insécurité (affectif, matériel, social, etc.) ? En tout cas, aujourd'hui, votre niveau d'anxiété est souvent « pathologique » : timidité handicapante, TAG (trouble anxieux généralisé), TOC (trouble obsessionnel compulsif), phobie, etc. Bref, vous avez souvent tendance à paniquer ou pour le moins à « bloquer » à la seule perspective d'un changement et vous avez toujours un mal fou à vous adapter. Vous pouvez continuer à prendre sur vous (essayer de vous en sortir tout seul ou avec le seul soutien de vos proches), mais ce serait plus raisonnable de vous faire aider par des spécialistes (psy, médecin).

CE QUI VOUS EMPÊCHE D'AVANCER

MAJORITÉ DE ■
Vous êtes un « frileux »

Dominant : un désarroi moral dû à la conviction intime que le danger est inéluctable et que vous êtes impuissant à l'empêcher ou à l'éviter. Chez vous, comme chez les autres anxieux, l'anxiété n'a pas de raison d'être, d'objet précis (à la différence de la peur qui est toujours peur de quelque chose ou de quelqu'un, liée à un danger présent ou annoncé), mais le danger pressenti, attendu, est amplifié, dramatisé par votre imagination.

Votre force : créer. Comme c'est fréquemment le cas des grands pessimistes, vous imaginez souvent le pire parce que vous espérez le mieux (le Beau, le Bien, le Vrai). À la différence des autres anxieux, vous ne perdez d'ailleurs jamais l'espoir d'un monde meilleur. De fait, vous êtes particulièrement exigeant avec vous-même : vous êtes souvent quelqu'un de très productif et de très critique envers vous-même (actes, pensées), vous cherchez toujours à progresser (en vous remettant en question, en faisant du neuf).

Vos risques : un peu misanthrope (votre vision des autres est plutôt négative), ayant terriblement peur d'être déçu (par les défaillances, le jugement des autres), vous pouvez vous réfugier dans votre imaginaire. Vous vous coupez des autres par choix (vous les évitez ou vous les fuyez pour conjurer le danger d'un conflit ou d'une rupture) ou malgré vous (vous devenez hyper-susceptible, limite parano, et cela peut faire progressivement le vide autour de vous).

MAJORITÉ DE ✳
Vous êtes un « soucieux »

Dominant : une attitude d'attente (de l'événement menaçant) qui mobilise votre organisme, votre Moi, et les maintiennent en état d'alerte. Comme vous investissez l'essentiel de vos ressources personnelles (énergie, pensées, etc.) dans cette attente, elles vous font plus ou moins défaut pour le reste (plaisirs, activités…).

Votre force : réfléchir. À la différence des autres anxieux, vous n'imaginez pas (en tout cas beaucoup moins) vivre dans un monde tout noir ou tout blanc. Pour vous la vie est pleine de pièges mais aussi d'attraits, les gens ont des défauts mais aussi des qualités. Le problème est de distinguer les uns des autres. Votre méthode : analyser (vous êtes très doué pour peser le pour et le contre) et anticiper (en vous ménageant des « sécurités » multiples : assurances, réserves, « portes de sortie », nombreuses « cordes à votre arc »...) pour vous rassurer.

Vos risques : à force de vouloir tout « intellectualiser », vous vous coupez de la vie (du plaisir, du bonheur) et vous perdez toute spontanéité (vous faites toujours les mêmes choses avec les mêmes gens, vous répétez toujours les mêmes idées, les mêmes discours). Et en voulant constamment tout prévoir et tout contrôler, vous faites trop pression sur votre entourage (conjoint, enfants, amis, collaborateurs, etc.). On vous trouve certes sérieux, mais un peu trop psychorigide.

Majorité de ○
Vous êtes un « inquiet »

Dominant : le sentiment d'un danger imminent et plus ou moins bien déterminé. Moins il l'est d'ailleurs, plus vous êtes anxieux. En revanche, quand les problèmes, les risques sont identifiés, vous réagissez mieux : vous pouvez contrôler vos peurs et les combattre.

Votre force : agir. Chez vous, l'anxiété est souvent refoulée (vous ne savez pas que vous êtes anxieux), somatisée (troubles du sommeil, neurovégétatifs, fatigue, irritabilité, etc.). D'ailleurs, en apparence vous avez souvent beaucoup d'assurance : vous avez une image plutôt positive de vous-même, vous êtes autosuffisant, indépendant, dynamique et très armé pour la compétition (sociale, professionnelle, amoureuse).

Vos risques : ceux de l'hyperactivité (« *workoolism* », stress), de l'insatisfaction chronique (vous ne vous sentez jamais

assez estimé, apprécié, vous avez sans cesse besoin de nouvelles gratifications matérielles), de la fuite en avant
(changements répétés de domicile, de travail, de partenaire, etc.), de la témérité (les risque-tout, les adeptes des
sports extrêmes sont fondamentalement des anxieux).
Avec, à terme souvent, des épisodes dépressifs en cas
d'échec, de déception ou de désillusion.

VOTRE APTITUDE AU SUCCÈS

La réussite, c'est beaucoup une affaire de chance. Il faut savoir l'attraper, la provoquer. « Pour les chanceux, le coq lui-même pond », dit d'ailleurs un proverbe grec. Mais aussi de foi (en soi, en ses capacités, en la possibilité de changer les choses…) et d'optimisme. Ce test est conçu pour évaluer votre « positivité », à la fois votre capacité d'initiative (être une force de proposition, d'action plutôt que simplement être réactif) et votre confiance (en vous, dans les événements, en l'avenir).

Voici deux séries d'affirmations contradictoires. Cochez dans chaque colonne celle qui vous semble le mieux correspondre à votre personnalité.

Colonne 1

1. a. Dans votre couple, vous avez souvent été quitté.
   b. Le plus souvent, c'est vous qui avez cassé.

2. a. Vous paraissez beaucoup plus jeune que votre âge.
   b. Vous paraissez beaucoup plus vieux que votre âge.

3. a. Vous pouvez rester des heures sans sortir.
   b. Vous devenez vite un peu claustrophobe quand vous vous sentez coincé quelque part.

4. a. Quand vous avez des choses désagréables à dire à quelqu'un, vous prenez toujours des gants.
   b. Vous préférez être franc et direct.

Colonne 2

1. a. Quand quelqu'un vous regarde fixement, vous pensez que vous avez quelque chose qui ne va pas (un bouton sur le visage, de la salade dans les dents, etc.).
   b. Quand quelqu'un vous regarde fixement, vous pensez que vous lui plaisez.

2. a. Vous avez déjà fouillé dans les poches de votre conjoint (dans son agenda, ses relevés de compte, son portable).
   b. Vous n'avez jamais douté de sa fidélité (ou alors pas longtemps).

3. a. On ne vous a (presque) jamais rien volé.
   b. Vous vous êtes fait piquer vos affaires plus d'une fois.

5. a. Votre bain a déjà débordé et fait une inondation (plus d'une fois).

b. Vous avez déjà trouvé de l'argent dans la rue (plus d'une fois, et des billets).

6. a. Le matin, vous aimez bien traîner au lit (surtout quand vous savez que vous avez une journée chargée).

b. Dès que vous ouvrez les yeux, vous filez sous la douche.

7. a. Quand vous vous sentez un peu déprimé, vous vous enfermez avec un bon bouquin (et/ou un grand pot de crème glacée).

b. Vous appelez trois amis et vous organisez une sortie.

8. a. Pour votre anniversaire, vous avez envie qu'on vous invite dans un grand restaurant.

b. Vous préférez qu'on vous offre un saut en parachute (ou un tour en hélicoptère).

9. a. Dans les soirées, quand quelqu'un vous colle, vous avez souvent un mal fou à vous en débarrasser.

b. Vous lui faites vite comprendre qu'il ne doit pas insister.

10. a. Vous essayez souvent de vous défiler quand vous voyez venir les corvées.

b. Vous faites votre part même si on ne vous demande rien.

4. a. Vous pensez que vous n'avez pas de chance.

b. Vous pensez que vous êtes verni.

5. a. Quand la boulangère se trompe en vous rendant la monnaie, vous pensez souvent qu'elle l'a fait exprès.

b. La boulangère ne se trompe jamais.

6. a. Vous parlez très peu de vous-même ; vous avez toujours peur que vos confidences ne soient utilisées contre vous.

b. Vous avez tendance à raconter votre vie à des gens que vous connaissez à peine.

7. a. Quand une vendeuse est sympa avec vous dans une boutique, vous pensez qu'elle veut vous refiler des nanars de l'année passée.

b. Les vendeuses vous aiment bien parce que vous êtes sympa avec elles.

8. a. Vous vous inquiétez quand vous pensez (souvent) à l'avenir (le vôtre et celui de tout le monde).

b. Vous pensez qu'avec le temps la plupart des choses s'arrangent ou s'améliorent.

9. a. Vous vous êtes vengé (plus d'une fois) en faisant un coup tordu à un ex, une rivale, etc.

b. Vous n'êtes pas rancunier (enfin, pas très longtemps).

10. a. Vous avez du mal à vous endormir (et/ou avez un sommeil interrompu).

b. Vous dormez comme un bébé.

Votre aptitude au succès

Comptez votre nombre de a et de b dans chaque colonne et reportez-vous au tableau suivant.

		Colonne 1	
		Majorité de a	Majorité de b
Colonne 2	Majorité de a	Réactif-Pessimiste	Proactif-Pessimiste
	Majorité de b	Réactif-Optimiste	Proactif-Optimiste

Vous êtes « Proactif-Optimiste »
Aptitude au succès: très élevée

Trois bonnes fées se sont penchées sur votre berceau? Vous avez une veine exceptionnelle depuis que vous êtes tout petit et ça multiplie les occasions (en plus, les plats repassent souvent quand vous les avez ratés une première fois). Ou est-ce simplement un sens aigu des opportunités (un bon coup d'œil et des réflexes tip-top)? En tout cas, vous avez l'art d'être au bon endroit au bon moment (et avec les bonnes personnes). Vous êtes ultradoué pour attraper la chance quand elle passe. Mais vous êtes doué aussi pour la provoquer. Vous faites tout ce qu'il faut pour ça.

La bonne attitude
Continuez à suivre le credo de Guillaume le Taciturne: «Point n'est besoin d'espérer pour entreprendre ni de réussir pour persévérer.» Et montrez-vous résolument optimiste: en prenant tous les problèmes comme des opportunités, vous multipliez encore plus vos chances.

Vous êtes « Proactif-Pessimiste »

Votre aptitude au succès: élevée

Bien sûr, la chance passe pour vous (comme pour tout le monde). Bien sûr, vous la saisissez (à peu près une fois sur deux). Mais vous ratez souvent le coche ou la bonne aubaine parce que vous n'avez pas assez confiance en vous (« C'est trop beau pour moi », « J'ai peur de ne pas y arriver », etc.) ou dans les autres (vous avez peur de vous tromper, de vous faire avoir). Dommage parce que dans l'ensemble vous faites plutôt preuve de bonne volonté (vous ne rechignez pas à la tâche, vous êtes entreprenant).

La bonne attitude

Si vous voulez faire mieux, vous devez apprendre à oser et à y croire vraiment. La réussite, c'est comme le bonheur, l'amour ou la chance, ça a besoin d'espoir et, surtout, d'optimisme. Alors chaque fois que les choses ne tournent pas comme vous l'aviez espéré, adaptez-vous avec bonne humeur au lieu de gémir (« Je n'ai vraiment pas de chance »).

Vous êtes « Réactif-Optimiste »

Votre aptitude au succès: moyenne

De la chance, vous en avez (au moins autant que la plupart des gens). Et vous l'attrapez (presque une fois sur deux). Mais, bon, c'est moyen, pour ne pas dire médiocre. Qu'est-ce qui vous manque pour être un peu plus aimé par la chance et avoir un meilleur taux de réussite dans votre vie et vos activités? Sans doute un peu plus d'enthousiasme. Vous vous contentez trop souvent d'attendre que ça tombe (les cailles toutes rôties dans le bec) au lieu de mettre les mains à la pâte (ou dans le cambouis) quand il faut. Vous avez une vision beaucoup trop magique (la chance s'attraperait avec des porte-bonheur) ou providentielle (il suffit de bien faire ses prières le soir).

La bonne attitude

Soyez moins narcissique : vous ne pouvez pas avoir des succès exceptionnels sans rien faire pour ça. Montrez-vous plus entreprenant (comme disait la pub : 100 % des gagnants ont joué) et plus rapide : la chance ne se présente pas rien que pour vous et souvent elle n'attend pas.

Vous êtes « Réactif-Pessimiste »

Votre aptitude au succès : basse

Seriez-vous né sous une mauvaise étoile ? Le sort s'acharnerait-il sur vous ? Est-ce un manque de foi ? Incurablement terre à terre, vous espérez peu (et vous n'obtenez pas grand-chose). De vigilance ? Vous êtes tellement occupé à vous protéger de la malchance que vous ne voyez pas la chance quand elle passe. Ou de la paresse ? Vous ne faites pas ce qu'il faudrait faire (pour courir votre chance, mettre toutes les chances de votre côté), vous manquez de réflexes. Ou encore une conduite d'échec ? Vous gâchez sans le faire exprès tout ce qui pourrait vous arriver de bien. En tout cas, la réussite n'est pas souvent au rendez-vous.

La bonne attitude

Pour renouer avec le succès, vous devez absolument vous remettre en question. La réussite (comme l'amour) a besoin de foi. Pas moyen de changer les choses si vous n'y croyez pas plus fort. Alors, oubliez vos problèmes, vos habitudes, vos complexes ou vos sentiments d'infériorité et remontez et vos manches et votre moral.

VOTRE FORCE DE PERSUASION

Convaincre ses interlocuteurs, savoir écouter, argumenter, emporter l'adhésion, c'est essentiel pour savoir se vendre, vendre ses idées, mener une négociation ou gérer les conflits. Ce test est spécialement conçu pour vous permettre d'évaluer vos capacités dans ce domaine. Entourez la réponse qui vous semble chaque fois le mieux vous convenir.

	sûrement pas	pas tellement	plutôt oui	tout à fait
Ça vous agace qu'on vous dise ce que vous devez faire.	c	d	b	a
Vous vous sentez mal à l'aise quand un ange passe dans la conversation.	d	a	b	c
Les questions sur votre vie privée, vos sentiments, vous embarrassent.	d	c	b	a
En général, vous faites trop confiance aux autres.	a	b	d	c
Quand vous devez parler en public, vous vous en tirez plutôt bien.	d	c	a	b
Vous vous montrez souvent d'accord avec votre partenaire même quand vous pensez qu'il a tort.	a	d	b	c
Vous avez souvent le sentiment que les choses vous sont dues.	d	c	b	a
Les fortes personnalités, ça vous donne des complexes.	a	b	c	d
Vous pensez souvent que les autres « n'assurent » pas vraiment.	c	d	b	a

	sûrement pas	pas tellement	plutôt oui	tout à fait
Vous êtes plutôt mal à l'aise dans les situations conflictuelles.	a	b	d	c
Quand vous avez pris une décision, vous n'aimez pas que les choses traînent.	d	c	b	a
Vous êtes plutôt sensible à ce que les autres pensent de vous.	a	d	b	c
Vous êtes très attaché à votre confort.	b	a	c	d
Vous supportez assez mal les critiques.	c	b	d	a
Quand quelque chose vous tient à cœur, vous avez souvent peur qu'on vous dise non.	a	b	c	d
Dans votre job, ce que vous préférez, ce sont les contacts.	d	a	b	c
Vous pensez plutôt du bien des gens qui vous entourent.	a	d	b	c
En général, vous ressentez assez bien ce qu'éprouvent ou pensent les autres.	d	a	b	c
Quand vous pensez à votre avenir, vous êtes plutôt optimiste.	d	c	b	a
Vous savez faire preuve de patience en cas de problème.	a	b	c	d

VOTRE STYLE

Comptez vos a, b, c et d, et reportez-vous au style correspondant (ou aux styles correspondants, si vous avez moins de deux points d'écart entre deux lettres).

MAJORITÉ DE A
Votre style : directif

Avantages: vous avez confiance (un peu trop) en vous-même. Vous croyez à votre succès. Vos objectifs sont précis, vos désirs, affirmés. Quand vous voulez quelque chose, vous le demandez en direct, vous vous exprimez sans détours.

Inconvénients: vous êtes très obstiné, assez impatient. Vous ne tenez pas assez compte de ce que pensent les autres, de leurs sentiments ou de leur disponibilité.

Pour avoir plus d'impact
Exprimez vos besoins, vos désirs, avec plus de délicatesse. Évitez de faire pression ou de lancer des ultimatums. Soyez plus souple, plus conciliant, plus à l'écoute du point de vue des autres. Laissez-leur le temps de s'accorder à vos violons.

MAJORITÉ DE B
Votre style : vendeur

Avantages: vous savez créer la confiance, voire être très manipulateur, pour obtenir ce que vous voulez en laissant croire aux autres que l'idée vient d'eux, qu'ils ont le choix.

Inconvénients: vous avez tendance à en faire un peu trop, à finasser. Vous manipulez parfois pour le seul plaisir de manipuler en perdant de vue votre objectif.

Pour avoir plus d'impact
Parlez moins et faites parler les autres. Quand on parle trop, on révèle toujours des « points faibles ». La moitié de ce qui se dit dans une conversation de cinq minutes est oublié dans les huit heures, 90 % dans les trois jours. Soyez plus direct, faites « signer la commande ».

Majorité de C
Votre style : conciliant

Avantages : vous avez en général un bon feeling avec les autres. Vous savez vous mettre sur la même longueur d'onde, jouer la corde sensible, trouver un terrain d'entente.

Inconvénients : vous faites trop confiance aux autres. Vous n'êtes pas assez ferme. Quand vous voulez quelque chose, souvent vous hésitez à demander ou vous changez d'avis parce que vous ne voulez pas créer de problème.

Pour avoir plus d'impact
N'ayez pas peur d'affirmer vos désirs. On vous respectera pour ça. Ne vous contentez pas de promesses en l'air. Revenez à la charge (avec délicatesse) jusqu'à ce que vous obteniez ce que vous voulez.

Majorité de D
Votre style : discret

Avantages : vous pouvez vous montrer très patient dans vos désirs. Vous savez obtenir les choses sans faire pression, sans brusquer ni les gens ni les événements.

Inconvénients : vous renoncez trop vite en cas de refus. Vous ne croyez pas assez à votre succès. Vous demandez trop peu ou pas vraiment. Vous avez trop peur qu'on ne vous dise non.

Pour avoir plus d'impact
Pour vous, persuader, c'est déjà manipuler, presque un vilain défaut. Vous vous sentirez sans doute beaucoup moins coupable en traduisant d'abord (dans votre tête) vos désirs en bénéfices pour l'autre.

VOTRE RÉSISTANCE AU STRESS

C'est vite dit de réussir! Mais à quel prix? En y laissant sa peau à cause du stress? En sacrifiant toute vie privée (et celle de ses proches)? Êtes-vous en voie de calcination? Capable de rester efficace (et à peu près serein) dans les situations décevantes et/ou hostiles malgré la pression et les échecs et capable de succès sur la longueur? Le test suivant est destiné à évaluer votre degré de résistance au stress et à identifier vos sources de stress internes (celles qui ne dépendent que de vous). Cochez chaque fois que vous vous reconnaissez dans les propositions suivantes. Si certaines situations vous sont encore inconnues, imaginez quelle serait votre réaction.

❑ Vous trouvez souvent que c'est plus vite fait de faire les choses vous-même que de prendre le temps de les expliquer. ■

❑ En réunion, vous ne pouvez pas vous empêcher de faire des gribouillis sur votre bloc. ▲

❑ Vous avez souvent tendance à prendre les critiques comme des attaques personnelles. ✲

❑ Vous ne confirmez jamais vos rendez-vous. ○

❑ Vous refaites souvent le travail que vous avez confié à d'autres. ■

❑ Vous aimez bien jongler avec plusieurs dossiers en même temps. ▲

❑ Vous entrez souvent dans le bureau de votre patron simplement pour lui dire bonjour. ✲

❑ Quand vous vous projetez dans deux, trois ans, vous n'avez pas d'idée précise de ce que vous ferez. ○

❑ Pendant vos absences (déplacements, vacances…), le travail n'avance pas (vous retrouvez les mêmes problèmes sinon plus). ■

❑ Cela vous arrive souvent de téléphoner le soir ou le week-end à des personnes qui travaillent pour vous. ▲

❑ Vous avez du mal à faire des compliments. ■

❑ Vous êtes souvent, sinon toujours, le dernier à partir le soir. ▲

❑ Quand votre assistante se plante, vous laissez filer la plupart du temps. ✳

❑ Vous « perdez » souvent vos affaires (agenda, stylo, clefs, lunettes, dossier…). ▲

❑ Vous avez du mal à tenir en place (bougeotte, tics nerveux, jambe qui bat la mesure…). ◯

❑ Vous ne savez pas quand vous devez faire réviser votre voiture. ◯

❑ Vous n'entreprenez rien (action, initiative…) sans avoir le feu vert de votre patron. ✳

❑ Vous répondez souvent aux questions sans attendre qu'on ait fini de les poser. ▲

❑ Vous rapportez fréquemment du travail le soir à la maison ou le week-end. ▲

❑ Vous pensez qu'il faut toujours respecter les règles. ■

❑ Vous entamez souvent une conversation sans vous rendre compte que votre interlocuteur est déjà occupé (au téléphone, en réunion). ▲

❑ Vous n'osez pas dire non quand votre patron vous refile un dossier alors que vous croulez déjà sous le travail. ✳

❑ Vous arrivez souvent en retard à vos rendez-vous parce que vous avez tourné « trois heures » pour vous garer. ◯

❑ Avec votre patron, vous avez souvent tendance à sous-estimer les délais (pour faire du zèle). ✳

❑ Vos enfants vous posent presque tous les week-ends la question (angoissante) : « On fait quoi ? » ◯

❑ Vous ne faites que travailler, vous n'avez pas ou presque pas de vie à côté. ■

❑ On (patron, collaborateurs, conjoint) a souvent du mal à vous trouver (et/ou à vous joindre au téléphone). ▲

❑ Vous avez souvent du mal à tenir les délais. ■

❑ Vous pensez qu'avec le temps la plupart des conflits se désamorcent tout seuls. ○

❑ Vous avez renversé plus d'une fois (sans le faire exprès) votre tasse de café sur votre bureau ou sur le bureau d'un autre (ou votre verre au restaurant). ▲

❑ Vous ne parlez presque jamais avec les membres de votre équipe de sujets hors travail (sport, loisirs, politique, vie privée…). ■

❑ Pour être efficace dans votre travail, vous avez besoin qu'on vous dise très exactement ce qu'on attend de vous, ce que vous avez à faire. ✳

❑ Vous attendez toujours d'être débordé pour déléguer (en catastrophe). ■

❑ Vous avez l'habitude de noter (noms, n° de téléphone, etc.) sur le premier bout de papier qui vous tombe sous la main. ○

❑ Vous avez du mal à jeter (vieux magazines, catalogues, prospectus, agendas de plus de deux ans, stylos HS…). ■

❑ Vous avez toujours un mal fou à vous débarrasser des bavards au téléphone. ✳

❑ Au moindre imprévu, tout votre programme de la journée est chamboulé. ○

❑ Quand vous estimez être victime d'une injustice (de la part de votre patron, d'un collègue…), vous avez tendance à « bouder ». ✳

❑ Quand vous avez quelque chose à dire à votre patron, vous le coincez entre deux portes. ○

❑ Vous jouez souvent les pompiers de service. ✳

Comment analyser vos réponses

De deux manières :

• **Quantitative.** Comptez le nombre de propositions que vous avez cochées : cela vous donne votre degré de résistance au stress.

• **Qualitative.** Quelles sont vos sources de stress internes, comment y remédier ? Cela dépend du plus grand nombre de symboles que vous avez récoltés. Faites vos comptes et reportez-vous au profil correspondant (ou aux profils correspondants si vous avez moins de 2 points d'écart entre deux symboles).

VOTRE RÉSISTANCE AU STRESS

23 POINTS ET PLUS
  Basse

Votre profil : caractérisé par un sens aigu de l'efficacité et du résultat immédiat (vous ne savez pas faire la part entre l'urgent et l'important et vous organiser en conséquence), un niveau de performances physiques et intellectuelles parfois d'autant plus inconstant qu'il est élevé. Vos capacités de défenses psychologiques sont faibles : vous échappez et vous résistez mal au stress (mauvaise identification des symptômes et gestion des sources), vous anticipez et vous surmontez mal les conflits (manque de psychologie et/ou de *self-control* dans les relations interpersonnelles) et vous rebondissez plutôt mal et lentement après un échec (vous vous dépréciez ou vous vous défaussez de vos propres responsabilités sur les autres).

DE 13 À 22 POINTS
Moyenne

Votre profil : caractérisé par un niveau de performances physiques et intellectuelles moyen, mais constant. Vous intégrez bien dans votre gestion du temps et votre travail la recherche d'efficacité immédiate et de résultats à long terme (vous savez faire en général la part entre l'urgent et l'important et vous organiser en conséquence). Vos capacités de défenses psychologiques sont assez fortes (bonne maîtrise des émotions et gestion des sources de stress). Vous anticipez et vous surmontez plutôt bien les conflits (vous avez une intelligence des situations, êtes proche des autres tout en restant objectif) et vous rebondissez assez rapidement après un échec. Mais dans des situations trop longtemps décevantes et/ou franchement hostiles, vous risquez de craquer sous la pression.

12 POINTS ET MOINS
Élevée

Votre profil : caractérisé par un sens aigu de la durée et un niveau de performances physiques et intellectuelles élevé et constant. Est-ce le fait d'une nature très flegmatique (le stress coule sur vous comme l'eau sur les plumes d'un canard) ? Une conscience très claire de vos réels besoins (vous savez ce que vous voulez) et de vos compétences (vous exploitez vos vrais talents au lieu de stresser sur ce qui ne va pas chez vous) ? Une intelligence des situations et des méthodes de travail rodées (vous savez faire la part entre l'urgent, l'important et l'inutile et vous organiser en conséquence) ? Ou un peu de tout ça ? En tout cas, vos capacités de défenses psychologiques sont très fortes : vous échappez (autant que possible) et vous résistez bien au stress (bonne identification des symptômes et gestion des sources). Vous savez rester efficace dans les situations décevantes, voire même hostiles, malgré la pression et les échecs.

Majorité de ▲
Votre source de stress : l'hyperactivité

Est-ce un problème de tempérament? Vous avez besoin d'agir sans cesse. Ou un sens exagéré de la compétition? En tout cas, vous en faites trop. C'est hyper-stressant (vous fonctionnez trop dans l'urgence, les rapports de force) et intenable sur la longueur.

Les bons réflexes

1. Bien se connaître
Fondamental pour ne pas courir après des illusions : définir vos réels besoins affectifs (d'amour, de socialité) et matériels. Pas la peine de perdre votre temps à construire un couple si vous n'êtes pas fait pour la vie à deux. Ou inutile de ramer comme un galérien pour un bol de caviar si un bol de riz vous suffit.

2. S'accepter comme on est
Comme tout le monde, vous n'êtes pas parfait. Vous avez vos défauts. Acceptez-les. Vous n'êtes pas très ambitieux (sportif, high-tech…), ne vous forcez pas à le devenir. Quand vous vous efforcez de «réparer» un défaut, vous faites beaucoup d'efforts pour des résultats qui n'en valent pas la peine. Vous stressez en vous focalisant sur ce qui ne va pas chez vous et vous perdez un temps précieux que vous pouvez utiliser plus efficacement en exploitant vos vrais talents.

3. Savoir ce qu'on veut
Idéalement, qu'est-ce qui compte d'abord pour vous? Faire carrière? Du fric? Vous éclater dans un job? Vous sentir utile? Être reconnu par les autres? Trouver la sécurité? Fonder une famille? Autre chose? Hiérarchisez. Ensuite, il vous sera plus facile de vous fixer des objectifs et de vous y tenir.

4. Penser d'abord à sa forme

Vous êtes patraque, fatigué, surmené, automatiquement vos performances chutent et vous perdez du temps. Vous faites moins et moins bien et, en rentrant le soir, vous vous effondrez. Les week-ends, les vacances ne vous servent qu'à récupérer. Occupez-vous donc de votre corps et de votre moral en premier.

MAJORITÉ DE ■
Votre source de stress : le perfectionnisme

Est-ce une affaire de personnalité? Vous êtes un peu obsessionnel? Ou un degré d'exigence excessif (envers vous-même et les autres)? En tout cas, vous avez tendance à charger un peu trop la mule. En voulant trop bien faire et tout contrôler. À la longue, vous risquez de crouler.

Les bons réflexes

1. Ne pas remettre au lendemain

Donner un coup de fil important, avoir une discussion de fond (avec son patron, sa chérie…), etc. Tous les jours, vous avez des décisions à prendre qui engagent peu ou prou votre avenir. Dans ce cas, vous faites automatiquement (comme tout le monde, plus ou moins) de la procrastination (tendance à remettre au lendemain). Votre argument : «J'attends le bon moment.» Parfait. Mais le bon moment dépend de vous, pas des autres. C'est vous qui devez le créer. Alors, plus d'hésitation. «*Just do it*».

2. Faire une seule chose à la fois

Typique aussi des grands indécis et, surtout, de ceux qui décident trop rapidement (et gros gaspilleurs de temps) : attaquer mille choses à la fois et ne rien mener à terme. Alors, arrêtez de vous disperser. Efforcez-vous de séquencer vos activités : une chose, un dossier, un problème, une femme, à la fois.

3. Lutter contre le perfectionnisme

Symptomatique aussi de l'indécision, la tendance à vouloir trop bien faire ou, pour les décideurs rapides, à vouloir en faire trop. Résultat: ne jamais rien finir ou bâcler le travail, donc grosse perte de temps (travaux interminables ou à recommencer). Comment éviter? D'abord, en vous imposant des dates limites et des quotas: tant de temps pour faire ceci ou cela. Ne vous noyez pas dans les détails (vous perdez de vue votre but principal). Ensuite, en vous contentant de faire bien les choses. C'est déjà beaucoup.

Majorité de ○
Votre source de stress: l'impulsivité

Excès d'enthousiasme ou manque de recul, vous avez tendance à agir au coup par coup, sans visibilité. Résultat: vous courez sans cesse après le temps (tout devient urgent) et vous jouez un peu trop avec le feu et vos nerfs. Avec le temps, vous accumulez le stress.

Les bons réflexes

1. Planifier

Faites-vous un plan de travail quotidien: listez vos obligations (travail, courses, démarches administratives, RV enfants, etc.). Prévoyez dès la veille votre programme du lendemain soir, dès mardi, celui du week-end, dès février, vos vacances d'été. Et planifiez au maximum le temps libre de vos gamins afin de ne pas vous retrouver chaque semaine confronté à la question angoissante «on fait quoi?».

2. Garder du temps

Ne «bourrez» pas vos journées. Dans la vie, il y a des imprévus (contretemps, problèmes de transports, clients qui débarquent à l'improviste, rencontre hot). La bonne équation : 25 % de temps «libre» pour faire face aux problèmes ou profiter des plaisirs inattendus.

3. Respecter les échéances

Travaux à remettre, factures à régler, entretien voiture (ou photocopieuse), visites de contrôle (médecin, dentiste, etc.)… Dans la vie, il y a aussi des échéances. Chaque fois que vous êtes hors délais, vous vous créez des problèmes. Ce qui vous demande cinq minutes aujourd'hui vous prendra trois heures demain (délais, entretien perso et machines).

4. Régler les problèmes

Vous faites l'autruche sur un petit ou un grand problème ou conflit que vous voyez se profiler au bureau ou à la maison, en vous disant qu'avec le temps, ça va s'arranger. Neuf fois sur dix, immanquablement, les choses s'aggravent et là encore, ce qui aurait pu être réglé en dix minutes vous prendra trois jours.

5. S'adapter

Dans la vie, rien ne se passe jamais exactement comme prévu. Il y a des contretemps, des incidents de parcours et aussi des changements. Chaque fois que vous bloquez (même avec le bon droit pour vous), vous perdez du temps. Alors, efforcez-vous d'être toujours positif pour avancer. Demandez-vous «qu'est-ce que je peux faire?» au lieu de critiquer («celui-là, jamais à l'heure»), d'accuser («c'est de sa faute»), ou de regretter («c'était mieux avant»).

Majorité de ✳
Votre source de stress : la dépendance

Êtes-vous trop zélé, trop « disponible » ou, tout simplement, trop sympa, vous avez tendance à faire toujours beaucoup plus que ce pour quoi vous êtes payé. Vous accumulez les contraintes, les obligations, les tâches et, à la longue, forcément, c'est épuisant.

Les bons réflexes

1. Se méfier des « il faut »
La première personne à qui vous devez apprendre à dire non, c'est vous. Chaque fois, que vous pensez «il faut que je fasse ceci, cela... », inversez : «faut-il vraiment que... » Faites une liste de toutes les choses désagréables que vous avez faites ces six derniers mois. Quelles sont celles qui n'auraient rien changé à votre vie si vous ne les aviez pas faites ou si quelqu'un d'autre les avait faites à votre place ? Ensuite, arrêtez. Arrêtez de faire le boulot des autres au bureau. N'acceptez plus les déj', les dîners, les sorties qui ne vous font pas vraiment envie.

2. Fermer sa porte
La politique de la porte ouverte («il faut» être disponible) a fait son temps. Pour travailler efficacement, être tranquille chez vous, fermez-la. Et apprenez aux autres (patron, collaborateurs, chérie, enfants...) à le respecter (le minimum, c'est qu'ils frappent avant d'entrer).

3. Ne pas avoir peur
Vous dites toujours oui à votre patron pour vous faire bien voir ? Vous avez tort. Ce n'est pas comme ça qu'on se fait respecter. Vous êtes trop full ? Refusez. En expliquant pourquoi : votre patron ne peut pas être au courant de l'emploi du temps de tout un chacun.

4. Ne rien avoir à prouver

Vos camarades de travail, votre copain, votre femme sont toujours tentés de vous «refiler le bébé» en arguant que vous êtes plus compétent, plus ceci ou plus cela. Défilez-vous. Chacun ses responsabilités.

RÉUSSIR
LES TESTS D'ENTREPRISE

Offres plus rares, demandes plus nombreuses, le «marché» de l'emploi est devenu très concurrentiel. Les entreprises sont beaucoup plus exigeantes quand elles sélectionnent. Elles connaissent mieux leurs besoins en ressources humaines. Et si certains critères objectifs, les diplômes, l'expérience, sont incontournables, aujourd'hui la «personnalité» d'un candidat compte autant, sinon plus, que sa «technicité». Les chefs d'entreprise sont plus sensibles qu'ils ne l'étaient dans le passé aux «caractères». À qualifications, compétences égales, ils ont tendance à privilégier les qualités humaines. La règle anglo-saxonne *« The right man to the right place »* (littéralement, la bonne personne à la bonne place) résume la philosophie actuelle des recruteurs. Quand ils pensent embauche ou promotion, ils recherchent en priorité la meilleure adéquation personnalité/technicité. D'où tout un arsenal de méthodes de sélection de plus en plus complexes, rigoureuses, et souvent stressantes.

LES MÉTHODES D'ÉVALUATION

Pour recruter le «candidat idéal», sélectionner sans se tromper, les entreprises mettent en œuvre des méthodes de plus en plus pointues. Une étude réalisée par l'Université de Bordeaux-II (M.-L. Bruchon-Schweitzer) et Paris-V (D. Ferrieux) auprès de 837 recruteurs appartenant à soixante cabinets-conseils et quarante-deux services de recrutement en entreprise montre la fréquence d'utilisation des différentes méthodes employées pour la sélection, et notamment la place des tests dans les processus d'évaluation. Une place de plus en plus importante ces dernières années avec le développement des tests informatisés et qui ne fera que croître à l'avenir avec les facilitations (automatisation des résultats, rapidité, moindres coûts, etc.) données par Internet. De nombreux sites, comme www.recruitment-tools.fr, pour les informaticiens, par exemple, ou www.selfeval.com sont de plus en plus sollicités par les DRH.

Méthodes	Fréquences d'utilisation (1)	Fiabilité (2) (rang)
Entretien	99 %	5e
Graphologie	93 %	8e ex.
Tests d'aptitude et d'intelligence	63 %	4e
Tests de personnalité	61 %	6e ex.
Mini-situation de travail	34 %	1er
Prise de renseignements	28 %	2e
Techniques «divinatoires» (astrologie, numérologie...)	25 %	8e ex.
Tests projectifs	20,5 %	6e ex.
Centre d'évaluation	Non significatif	3e

(1) : proportion de grandes entreprises et de cabinets qui utilisent ces méthodes en France. Étude réalisée en 1988 et 1989 par M.-L. Bruchon-Schweitzer et D. Ferrieux.

(2) : classement de la validité des méthodes élaboré par le professeur anglais I. T. Robertson.

Les critères d'évaluation

Sur quels critères êtes-vous jugé? Cela dépend de plusieurs paramètres mais questionnaires de personnalité, mini-situations de travail, graphologie… toutes les méthodes de sélection visent à évaluer vos comportements sous cinq angles différents :

- individuel
- intellectuel
- motivation
- relationnel
- en situation d'encadrement

Sous chaque angle, plusieurs facultés sont prises en compte, entre douze et quinze au total, en fonction du poste à pourvoir et de la culture de l'entreprise qui recrute. Voilà la liste des principaux critères d'évaluation considérés par la grande majorité des psychologues spécialisés en recrutement*.

Les comportements individuels	
1. Adaptabilité	Rester efficace en dépit des changements d'environnement, d'interlocuteurs, de responsabilités ou de tâches.
2. Adhésion	Accepter la politique de l'entreprise, ses procédures et ne pas dévier de la ligne sans l'approbation de l'autorité compétente.
3. Résistance au stress	Rester efficace dans des situations décevantes et/ou hostiles malgré la pression ou les échecs.
4. Décision	Choisir entre plusieurs solutions et trancher.
5. Persévérance	S'accrocher jusqu'à atteindre l'objectif ou alors jusqu'à la preuve que celui-ci n'est plus valable.

* Cf. *Bilan comportemental en entreprise*, Jean-Pierre Gruère et Fabienne Pezeu, PUF, 1984.

Les comportements intellectuels

1. Analyse des problèmes
Discerner les différents éléments d'un problème, leurs relations et les comprendre globalement (synthèse).

2. Jugement
Évaluer les différents éléments d'un problème pour prendre la décision la plus adaptée.

3. Souci du détail
Prendre en compte les détails et les impératifs administratifs liés à une fonction, finaliser les actions.

4. Vigilance
Veiller à tout ce qui peut (changements politiques, économiques, sociaux...) influer sur son travail (environnement, fonction, organisation...).

5. Affinité pour les chiffres
Quantifier des informations (analyse et synthèse de données chiffrées statistiques, financières...).

6. Créativité
Concevoir et/ou intégrer des solutions nouvelles.

Les comportements liés aux motivations

1. Puissance de travail
Avoir et garder un niveau d'activité élevé (dynamisme, résistance physique, psychique...).

2. Implication
Être conscient de la valeur du rôle joué (donner beaucoup de soi-même, même en l'absence d'avantages personnels).

3. Initiative
Être une force de proposition, d'action plutôt que simplement être réactif.

4. Ambition
Montrer sa volonté d'accéder à des niveaux de responsabilité supérieurs et faire les efforts nécessaires pour cela.

Vos comportements relationnels

1. Charisme	Impressionner favorablement les autres (premier contact et suivi des relations).
2. Sens des inter-actions individuelles	Percevoir les besoins des autres et y réagir (empathie), avoir conscience de son propre impact sur eux.
3. Persuasion	Convaincre ses interlocuteurs (écouter, argumenter, emporter l'adhésion) de penser et d'agir dans le sens voulu.
4. Esprit d'équipe	Manifester de la solidarité avec le groupe, même en l'absence d'intérêt personnel direct.
5. Communication	S'exprimer clairement par écrit.
6. Expression	S'exprimer avec aisance oralement.

Les comportements d'encadrement

1. Organisation	Élaborer un plan de travail, en fixer les étapes de façon à créer les meilleures conditions pour atteindre l'objectif.
2. Coordination	Gérer les informations, les tâches, les événements pour optimiser l'action.
3. Délégation	Faire réaliser des choses par d'autres (subordonnés ou non).
4. Contrôle	Veiller à la bonne exécution des tâches confiées.
5. Motivation et stimulation	Stimuler une équipe, ses activités de façon à atteindre les objectifs à la satisfaction de tous.
6. Soutien	Aider à l'action d'un subordonné (suivi, participation active, approbation, remise en question si nécessaire).
7. Formation	Développer les compétences et le savoir-faire des subordonnés.

Les différents types de tests utilisés

Au cours de votre vie professionnelle, vous pouvez être soumis à différents types de tests, que l'on peut regrouper en quatre catégories :

- les tests d'aptitude (évaluation d'une capacité particulière)
- les tests d'intelligence (évaluation globale ou factorielle)
- les questionnaires de personnalité (diagnostic et/ou pronostic)
- les tests projectifs (id.)

Les conseils extérieurs privilégient les tests de personnalité (questionnaires et tests projectifs). 61,5 % les pratiquent, contre 55 % des entreprises privées et 69 % des entreprises nationales. En revanche, les entreprises nationales privilégient les tests d'aptitude et d'intelligence. 84,5 % en font passer, contre 69 % des entreprises privées et 55 % des cabinets-conseils.

Comment s'y préparer

On se prépare à des tests comme à un examen. Quelques principes de base :

• Soyez au mieux de votre forme. Toutes les épreuves auxquelles vous pouvez être soumis demandent beaucoup de concentration et de résistance physique. Alors, ne faites pas l'impasse sur une bonne nuit de sommeil. La veille, couchez-vous tôt. Et, le matin, prévoyez large pour arriver frais et pleinement opérationnel. Si vous avez un problème (grippe, etc.), dites-le à la personne qui est chargée de vous évaluer. Normalement, elle en tient compte.

• Informez-vous. C'est toujours moins stressant quand on sait à quoi s'attendre. Et cela vous laisse le temps de vous préparer mentalement ou d'aiguiser vos neurones en cas de test d'aptitude ou d'intelligence. Alors, n'hésitez pas à demander à la personne qui vous convoque les méthodes et/ou les techniques qui seront utilisées et ce qu'elles doivent mesurer.

• Mettez-vous à la place de votre interlocuteur. Vous savez pour quel poste vous êtes candidat, les qualités requises… Vous pouvez anticiper les questions qui vous seront posées et argumenter votre candidature.

• Jouez le jeu. On vous montre une tache d'encre, une photo, un dessin un peu flous, que vous devez interpréter. Ou bien on vous demande de dessiner un arbre, une maison, d'associer des couleurs : faites-le. Ne demandez pas à quoi ça sert, ni pourquoi ni comment. Ne jouez pas au plus finaud (« C'est une tache d'encre »), à l'original (dessinez des arbres, construisez des villages « normaux »). Contentez-vous de faire ce qu'on vous demande, de répondre aux questions, même si vous les trouvez dérangeantes, en évitant les commentaires personnels, les digressions, l'humour. Faites preuve de bonne volonté, mentez si vous le jugez nécessaire, mais jouez toujours le jeu.

Quels sont vos droits ?

Peut-on ne pas répondre à une question sur sa vie privée, refuser un test ? En principe, oui. Au terme de la loi, un candidat au recrutement est assimilé à un salarié et profite des mêmes droits. Il n'est pas tenu de répondre à des questions ou de passer des tests n'ayant pas de lien direct et nécessaire avec l'emploi proposé. L'investigation doit normalement éviter la sexualité, la religion, la politique et le syndicalisme.

Vous êtes en droit de vous abstenir de répondre à une question touchant à votre vie privée, mais un refus fait toujours échouer une candidature. Alors, soyez beau joueur, quitte à mentir un peu (pour donner une bonne image de vous-même) mais pas trop (la plupart des questionnaires de personnalité sont piégés pour repérer les tricheurs).

Vous êtes en droit aussi de savoir sur quels critères vous allez être jugé et d'obtenir copie des résultats d'un test (comme de votre analyse graphologique).

En entreprises comme en cabinets-conseils, les recruteurs sont d'ailleurs soumis à des règles. En principe, ils n'ont pas le droit :

- de prendre une décision de sélection sur les seuls résultats d'un test informatisé (article 2 de la loi relative à l'informatique, aux fichiers et aux libertés) ;

- de mettre en œuvre des méthodes et techniques d'aide au recrutement et à l'évaluation professionnelle sans informer de leur contenu les candidats à un emploi et les salariés (loi Aubry du 31 décembre 1992) ;

- d'utiliser des méthodes et techniques d'aide au recrutement et à l'évaluation professionnelle non pertinentes en regard de la finalité poursuivie (loi Aubry du 31 décembre 1992).

LES TESTS D'APTITUDE

À la frontière des tests d'intelligence, les tests d'aptitude sont destinés à évaluer un niveau de connaissances générales et/ou de performances (attention, précision, rapidité d'exécution, capacité de concentration dans un temps limité, mémoire, compréhension, etc.).

Des tests, tels que le BUR, par exemple, ou les tests de collationnement (comparaison de listes de noms et/ou de chiffres pour déceler les erreurs), sont de plus en plus employés par les cabinets et les entreprises pour recruter le personnel administratif. Les compétences étant de plus en plus nombreuses dans ce secteur, la sélection est d'autant plus rigoureuse.

Mais suivant l'adage «c'est au pied du mur qu'on juge le maçon», 34 % des cabinets-conseils et des entreprises simulent fréquemment des mini-situations de travail pour tester les compétences et performances de candidats à un emploi.

La grande majorité des spécialistes en ressources humaines considèrent que c'est la méthode la plus fiable pour procéder à un recrutement.

Le BUR

Le BUR est un test réservé au personnel administratif: employés, secrétaires, etc.

Il est destiné à évaluer les compétences et les performances d'un candidat dans les activités habituelles de bureau.

On apprécie aussi bien le niveau et l'étendue des connaissances que la qualité du travail, les capacités d'attention, la rapidité d'exécution.

Le test comporte huit épreuves dans des domaines

spécifiques : calcul (additions, soustractions, multiplications et divisions simples), orthographe (corriger les fautes dans une phrase ou la mettre au pluriel, à l'imparfait...), classement (simple ou à critères multiples), secrétariat (analyse et organisation de textes).

Sa durée n'est pas limitée, mais l'appréciation des résultats tient compte du temps passé, en plus du nombre de réponses exactes.

Le BV 16 et le BV 17 (Bonnardel)

Le BV 16 (le BV 17, dans une version plus difficile) est le test d'aptitude (compréhension verbale) le plus utilisé par les entreprises (une sur quatre). Il est souvent employé pour le recrutement des cadres (ingénieurs, commerciaux, informaticiens...), par exemple, au Crédit Lyonnais, et couplé avec un test d'intelligence (par exemple, le R 85). Il s'agit d'appréhender l'intelligence du point de vue de la compréhension des idées, finesse d'analyse, « objectivité », pertinence du jugement.

Dans sa forme, il présente onze « pensées » de moralistes du XVIIe siècle, suivies de six phrases. Vous devez indiquer parmi celles-ci les deux phrases dont le sens vous paraît se rapprocher le plus (ou s'éloigner le moins) de la « pensée » proposée. La durée du test est de 15 minutes.

Exemple

« L'intelligence n'irait pas loin si la conscience ne lui tenait compagnie. »

1/ Beaucoup d'actions sont faites sans conscience ;

2/ L'homme intelligent doit toujours agir en accord avec sa conscience ;

3/ Il n'y a pas d'intelligence là où règne l'inconscience ;

4/ Rares sont les actions accomplies sans intelligence ;

5/ L'homme est un être aussi sensible que raisonnable ;

6/ L'homme est plus circonspect dans ses actions que dans ses réflexions.

Chaque phrase est affectée d'une valeur comprise entre +2 (les deux phrases dont le sens est le plus proche de la pensée initiale) et -2 (les deux phrases dont le sens est le plus lointain). Votre score est ensuite rapporté à des performances moyennes. Par exemple, pour le problème posé, les réponses 3 et 5 vous classent au-dessus de la moyenne ; 2 et 4, dans la moyenne ; 1 et 6, sous la moyenne.

Les mini-situations de travail

On peut imaginer autant de situations qu'il y a de métiers. Mais certains exercices, correspondant à des situations récurrentes dans de nombreuses professions, sont très souvent proposés, par exemple :

- le tri de documents (in basket)

- la recherche d'informations

- l'exposé oral, avec ou sans préparation

- la réunion, directive ou non

- la mission, avec objectifs communs ou non

- le jeu de rôle

Le tri de courrier

Vous devez traiter les documents (lettres, mémos, messages téléphoniques, rapports, dossiers, etc.) accumulés dans votre corbeille de courrier pendant votre absence. Durée de la simulation : deux ou quatre heures selon les cas.

Le contenu de votre corbeille est adapté à votre fonction : cadre commercial, financier, comptable, etc.

Le but, c'est d'évaluer vos capacités d'organisation et de

gestion des problèmes (concrets, relationnels…) dans une situation d'encadrement.

On vous demande :
- de vous organiser
- de traiter le courrier
- de hiérarchiser des priorités
- de prendre des décisions
- d'écrire des mémos, des lettres
- de déléguer des tâches à vos collaborateurs
- de leur demander de vous faire des comptes rendus
- de tenir informée votre direction
- éventuellement, en fin d'exercice, de rédiger un mémo qui explique vos décisions.

La recherche d'information

On vous soumet une urgence, par exemple « Faut-il envoyer X faire un audit comptable dans une filiale ? » Vous devez poser des questions à une personne chargée de vous renseigner pour prendre une décision.

L'objectif du test consiste à évaluer votre capacité à rechercher l'information, analyser un problème et prendre une décision en situation de stress (temps limité). Durée de la simulation : 10 à 20 minutes selon les cas.

Vous devez :
- poser des questions précises pour cerner le problème
- analyser toutes les conséquences
- prendre une décision
- expliquer le pourquoi de votre décision.

L'exposé oral préparé

Vous devez faire une présentation devant un public donné, par exemple un exposé commercial ou de marketing sur un secteur d'activité.

Vous disposez pour vous préparer de quelques minutes,

de quelques heures ou de plusieurs jours selon la complexité du sujet.

Des supports (tableau papier, rétroprojecteur et transparents) sont parfois mis à votre disposition. En général, on vous donne 30 minutes pour présenter votre sujet.

Il s'agit là d'évaluer votre capacité à analyser un problème, manipuler des données, communiquer oralement, ainsi que votre degré d'implication.

L'exposé non préparé
On vous donne le sujet à traiter quelques minutes seulement avant votre prestation. Par exemple : commenter les diapos de présentation d'une société.

Le but consiste à évaluer vos capacités d'adaptation (maîtrise de soi, esprit d'à-propos) et de communication en situation de stress.

La réunion non directive
On vous réunit avec une douzaine de personnes (des candidats comme vous) et on vous donne un thème de discussion sans autre consigne.

L'idée, c'est d'évaluer votre manière de vous positionner (en tant que leader, conciliateur, suiveur, rival, etc.) au sein d'un groupe.

La réunion directive
On réunit un groupe d'une douzaine de personnes. Vous êtes chargé de défendre un parti pris et de le faire adopter par les autres. Objectif : évaluer votre force de conviction et votre capacité de rassembleur.

La mission avec objectifs communs
On réunit un petit groupe avec un travail précis à réaliser. Par exemple : à partir de diapos fournies, le groupe doit réaliser un petit montage pour présenter la société X. Et

on vous évalue selon différents paramètres : esprit d'équipe, créativité, organisation, prise de décision, adaptabilité...

La mission avec objectifs conflictuels

On réunit un groupe de quelques personnes avec des attributions et des intérêts différents. Exemple : vous devez composer une vitrine de produits, vous avez tous des produits à mettre en avant, mais la vitrine n'est pas assez grande pour accueillir les produits de tout le monde : un choix doit être fait. Cela pour évaluer différentes aptitudes : expression orale, force de persuasion, adaptabilité, esprit d'équipe, etc.

Le jeu de rôle

On organise un face-à-face avec un interlocuteur dont le rôle est déterminé (il joue le même avec les autres candidats).

Quatre types de situations sont couramment proposées :

• la simulation de vente : vous jouez le rôle d'un vendeur qui négocie avec un client ;

• la simulation d'achat : vous jouez le rôle de l'acheteur ;

• le client furieux : vous devez faire face (*de visu* ou au téléphone) à un client mécontent d'un produit ou d'un service que votre société lui a fourni ;

• la gestion de conflit : vous venez à peine de prendre des responsabilités, vous recevez un collaborateur revendicatif ;

Il s'agit là aussi de vous évaluer en fonction de certains critères : implication, expression orale, force de persuasion, charisme, résistance au stress, adaptabilité, esprit d'à-propos, capacités de jugement, etc.

LES TESTS D'INTELLIGENCE

Les tests d'intelligence, dits aussi tests de QI, sont destinés à évaluer votre niveau d'intelligence générale.

Ils sont utilisés par 63 % des grandes entreprises et des cabinets de recrutement. Les plus fréquemment utilisés dans leurs formes originales ou dans des adaptations :

5. Le R 80 et le R 85 (suites logiques de chiffres et/ou de lettres, jeux de mots).

6. Le D 48 et le D 70 d'Anstay (configurations de dominos). Sans doute le plus utilisé : 15 % des services de recrutement pour le D 48 (version originale datant de 1948) et 23 % pour le D 70 (version remaniée de 1970).

7. Le MGM de Pire (configurations de cartes à jouer). En fait, une adaptation du test des dominos avec un matériel différent.

8. Le Matrix 47 de Raven (suites graphiques).

9. Le BV 53 de Bonnardel (suites graphiques).

Ces deux derniers tests sont souvent utilisés pour le recrutement du personnel «scientifique» (ingénieurs, informaticiens, etc.).

Tous ces tests fonctionnent suivant les mêmes bases logiques et sont souvent moins compliqués qu'il n'y paraît. Avec un peu d'entraînement, vous pouvez obtenir d'excellents résultats.

Le R 80 et le R 85

Le R 80 et le R 85 (plus récent et d'un niveau supérieur) sont des tests destinés à évaluer l'intelligence dans sa « forme fluide ». Autrement dit, l'aptitude à passer rapidement d'une forme de raisonnement à une autre et à résoudre des problèmes de natures très différentes. 14 % des cabinets et des entreprises (par exemple, les AGF) l'utilisent.

Le test se déroule en deux étapes. L'opérateur vous laisse d'abord le temps de vous familiariser avec le type d'exercices proposés. Ensuite, il vous demande de résoudre 40 problèmes en 20 minutes (durée chronométrée).

Toutes les réponses (exactes ou fausses) sont notées 1 point, indépendamment de la difficulté du problème, et comptées séparément.

Pendant le test, l'opérateur prend note de vos méthodes de travail : si vous griffonnez, si vous répondez directement, si vous bloquez devant une difficulté, etc. Vous êtes jugé sur votre score et sur votre méthode de travail.

Les problèmes sont précédés de l'instruction suivante : « Vous allez trouver dans ces pages divers exercices que vous résoudrez :
- certains en remplaçant une série de points par des chiffres, ou des lettres, ou par un mot approprié (une lettre ou un chiffre devant se substituer à chacun des points) ;
- d'autres en soulignant les lettres, chiffres ou mots qui vous paraîtront le mieux convenir. »

Exemples

1/ piano, violon, <u>saxophone</u>, guitare, contrebasse

2/ a   e   i   o   u   .

3/ 5   2   4   1   3   .

4/ A   Z   BC   YX   DEF...

5/ I2   A1   R3   AIR
   M3   E2   M4   E5   F1.....

Solutions

1/ **piano**, violon, <u>saxophone</u>, guitare, contrebasse
Le piano, comme le saxophone, n'est pas un instrument à cordes.

2/ a   e   i   o   u   **y**
La suite des voyelles.

3/ 5   2   4   1   3   **0**
Une progression du type -3, +2 : 5 (-3=) 2 (+2=) 4 (-3=) 1 (+2=) 3 (-3=) 0.

4/ A   Z   BC   YX   DEF   **WVU**
Deux suites alphabétiques, l'une en sens direct A, BC, DEF ; l'autre, en sens inverse, Z, YX, WVU, où chaque groupe s'augmente chaque fois d'une lettre.

5/ I2   A1   R3   AIR
   M3   E2   M4   E5   F1   **FEMME**
Les chiffres donnent la place des lettres dans les mots AIR et FEMME.

Le D 48 et le D 70

Le D 48 et le D 70 présentent chacun 40 configurations de dominos à compléter. Celles-ci sont précédées par 4 exemples expliqués.

La durée du test est limitée à 25 minutes. Dix minutes avant la fin, l'opérateur vous prévient du temps qui vous reste.

La difficulté des problèmes est croissante. Seuls 3,6 % des candidats obtiennent la note maximum. En vous entraînant, vous pouvez améliorer considérablement votre score. Chaque problème est noté 1 point, indépendamment de sa complexité.

Le temps moyen par problème étant de 37,5 secondes, il

vaut mieux, en cas de blocage, ne pas s'attarder sur une configuration et passer directement à la suivante.

Exemples

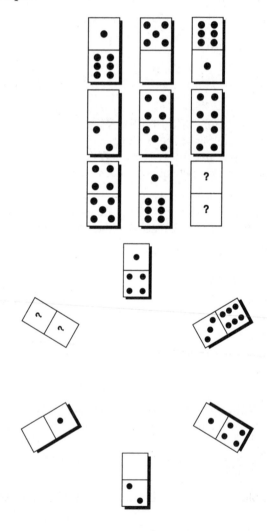

Solutions

1/ 5/0 : sur chaque ligne, la valeur supérieure du domino de droite s'obtient en additionnant les deux valeurs précédentes : (1 + 5 = 6), (0 + 4 = 4), (4 + 1 = **5**).

Les valeurs inférieures forment une progression : 6, 0, 1, 2, 3, 4, 5, 6, **0**.

2/ 5 (à l'extérieur)/3 (à l'intérieur) : à l'extérieur, les valeurs progressent en sautant à chaque fois une valeur : 1, (0), 6, (5), 4, (3), 2, (1), 0, (6), **5**.

À l'intérieur, la somme des valeurs face à face est toujours égale à 4 : 4 + 0 = 3 + 1 = 1 + **3**.

Le MGM de Pire

Le MGM se présente sous la forme d'un petit livret sans texte comportant 40 planches. Chaque planche est composée d'une reproduction de plusieurs cartes à jouer de format réduit, groupées pour former une figure.

Toutes les cartes d'un jeu classique de 52 sont utilisées, à l'exception des rois, dames et valets.

Une carte, parfois deux, est retournée dans chaque figure. Le problème consiste à trouver la couleur (Trèfle, Cœur, Carreau, Pique) et la valeur (de un à dix) de cette ou de ces cartes.

La durée du test est limitée à 25 minutes, soit un peu plus de 37 secondes par problème.

Chaque problème résolu (couleur et valeur exactes) est noté 1 point indépendamment de sa difficulté.

Créé en 1957, le MGM de G. Pire est considéré comme une adaptation du test des dominos avec un matériel différent. Il avoue des objectifs très semblables : évaluation de l'intelligence logique, de l'aptitude à structurer des ensembles rationnels indépendamment de leurs contenus.

Les règles de combinaison sont identiques à celles des dominos. La seule différence consiste dans l'emploi de valeurs nulles (jokers) et dans la plus grande variété des éléments (cartes et nombre d'inconnues).

Beaucoup de psys estiment que son matériel est trop « coloré » pour permettre une mesure objective des seules capacités logiques et lui préfèrent le test des dominos.

Exemples

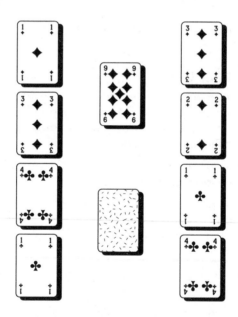

Solution

1/ Dix de Trèfle : en haut, cinq Carreaux ; en bas, cinq Trèfles. La valeur de la carte centrale est chaque fois égale à la somme des valeurs des autres cartes : 1 + 3 + 3 + 2 = 9 et 4 + 1 + 4 + 1 = **10**.

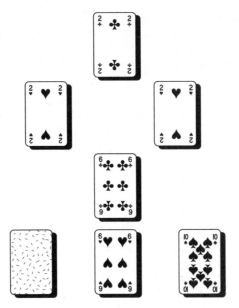

Solution

2/ As de Cœur. Sur chaque ligne, le motif est identique : Trèfle, Cœur, Trèfle, **Cœur**.

De haut en bas, c'est une progression de type +2 : 2, 4 (2 + 2), 6, 8 (**1** + 6 +1).

Le Matrix 47

Le Matrix 47 de Raven est un test fréquemment utilisé dans le recrutement du personnel scientifique (ingénieurs, informaticiens, etc.).

Il se compose de 48 configurations graphiques (4 séries de 12 planches).

Chaque planche présente dans sa moitié supérieure six ou huit figures alignées dans un rectangle ; la sixième ou la huitième, dans le coin droit inférieur, étant masquée.

L'exercice consiste à compléter en choisissant parmi six ou huit figures proposées, hors rectangle, dans la moitié inférieure de la planche.

La durée de l'épreuve est limitée à 40 minutes. À mi-parcours, l'opérateur vous prévient du temps qui vous reste.

Là encore, la difficulté des problèmes est croissante. Le temps moyen par problème est de 50 secondes.

Chaque bonne réponse est notée 1 point, indépendamment de la difficulté du problème.

Exemples

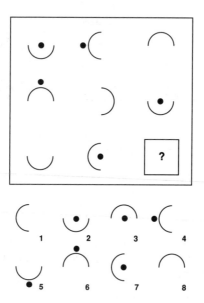

Solution
1/ Figure 6 : sur chaque ligne, l'arc de cercle pivote (dans le sens des aiguilles d'une montre) à chaque fois de 90° et le point est une fois à l'intérieur, une fois à l'extérieur et une fois absent.

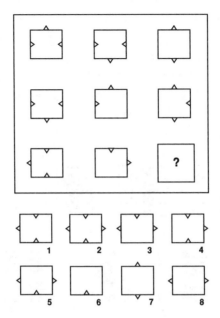

Solution

2/ Figure 5 : sur chaque ligne, on obtient le dessin de droite en superposant les deux dessins précédents. Les petits triangles à l'intérieur s'annulent quand ils sont superposés.

Le **PM 38 de Raven** est la version plus « simple » du 47. Il est généralement destiné aux candidats de niveau bac + 2. Même objectif : il s'agit là aussi de mesurer vos capacités de perception et d'observation, ainsi que vos qualités de raisonnement. Même principe : des suites de petits dessins dont il faut comprendre la loi de progression pour trouver la figure manquante. Une différence : 60 suites au lieu de 48, à résoudre en 40 minutes, soit un temps moyen par planche de 30 secondes. Là encore, il est toujours préférable de ne pas bloquer sur une suite, de faire d'abord les plus « faciles » pour revenir, ensuite, sur celles qui posent problème.

Le BV 53

Le BV 53 de Bonnardel est, comme le Matrix 47, souvent utilisé pour le recrutement du personnel scientifique (ingénieurs, informaticiens, etc.).

Il fonctionne sur les mêmes principes logiques, mais ses graphiques sont différents.

Exemples

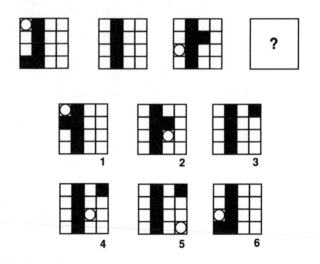

Solution

1/ Figure 3 : le cercle se déplace en zigzag (d'une case à chaque fois) de haut en bas. Le carré progresse en diagonale de bas en haut. Tous les deux disparaissent dans la colonne noire (dessin central de la suite).

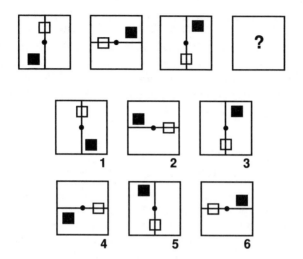

Solution
2/ Figure 4 : le trait et le petit carré blanc pivotent chaque fois de 90° dans le sens contraire des aiguilles d'une montre. Le petit carré noir également mais, chaque fois, il passe aussi de l'autre côté du trait.

LES QUESTIONNAIRES DE PERSONNALITÉ

Les questionnaires de personnalité sont utilisés par 61 % des grandes entreprises et des cabinets de recrutement. Actuellement, les trois questionnaires les plus utilisés sont: le Guilford-Zimmerman (GZ Test), le Papi (PA Preference Inventory) et le Potentiel (de Sigmund).

ATTENTION! TESTS PIÉGÉS!

Tous les questionnaires de personnalité, le GZ Test comme le PF de Cattell, le Papi ou le Potentiel de Sigmund, fonctionnent sur les mêmes principes. Ils se distinguent moins par leur présentation que par les traits de caractère, les tendances, les motivations, qu'ils prétendent explorer. Certaines questions sont parfois déroutantes, très personnelles ou franchement ambiguës. Difficile de savoir quoi répondre pour «être bon» à des questions comme: «Êtes-vous sujet aux insomnies?», «Aimez-vous le football?» ou «Préférez-vous les romans historiques ou la science-fiction?», qui sont censées mesurer votre degré d'adaptabilité, de sociabilité, etc.

Le plus important, c'est de jouer le jeu. Vous avez affaire à des professionnels: ne vous imaginez pas plus malin. La plupart de ces questionnaires sont d'ailleurs piégés. Certaines questions ne vous donnent pas le beau rôle (par exemple, «Êtes-vous mauvais perdant?», «Enfant, avez-vous volé dans le porte-monnaie de votre maman?» ou «Piquez-vous des colères?». Si vous répondez «non» chaque fois, c'est forcé (et statistiquement prouvé), vous avez triché. Le mieux (moindre mal) consiste donc à répondre sincèrement, en évitant cependant d'accumuler les réponses qui vous classent automatiquement parmi les personnalités à risques.

• Le Guilford-Zimmerman (GZ Test) compte dans sa version de 1957 300 questions, auxquelles il faut répondre par «oui», «non» ou «?», qui visent à définir dix traits de personnalité, par exemple: la productivité, la sociabilité, le rapport homme-femme...

• Le Papi (PA Preference Inventory), une exclusivité du cabinet de recrutement PA, mais certaines sociétés (Rank Xerox, le Crédit Lyonnais...) l'utilisent aussi sous licence. 80 couples de propositions, entre lesquelles vous devez choisir, qui cherchent à définir 20 traits de personnalité, par exemple: l'aptitude à déléguer, à dominer, le besoin d'attirer l'attention...

• Le Potentiel (de Sigmund), 450 questions à choix multiples pour analyser 36 traits de personnalité, par exemple: la capacité à prendre des risques, la facilité de contact, l'indépendance...

Le GZ Test (Guilford-Zimmerman)

C'est le plus connu et le plus utilisé des tests de personnalité. 27 % des services de recrutement des cabinets et des entreprises (par exemple, la Compagnie Bancaire pour ses cadres débutants) y ont recours. Il se présente sous la forme de 300 questions avec trois réponses possibles: Oui, Non ou ?. Sa durée, 50 minutes environ, n'est pas limitée.

Exemple

a. Vous aimez prendre la parole en public: Oui - Non -?
b. Vous avez beaucoup d'amis: Oui - Non -?
c. Vous aimez lire des livres de philosophie: Oui - Non -?

Son but est d'explorer dix traits de personnalité: activité générale, sociabilité, stabilité émotionnelle, objectivité, tendance à la réflexion, relations personnelles, ascendant sur les autres, bienveillance, résistance aux contraintes, masculinité.

Chaque réponse vaut un point qui vient créditer ou débiter tel ou tel trait de personnalité. Par exemple, en répondant « oui » à l'affirmation a, vous augmentez d'un point votre « ascendant ». Vous le diminuez au contraire si vous répondez « non ». Idem pour les affirmations suivantes : « Oui » à l'affirmation b crédite votre « sociabilité » d'un point, « Non » à l'affirmation c diminue votre « tendance à la réflexion » d'un point.

Comment « bien répondre »

Sorti aux États-Unis en 1949, le test a un peu vieilli. Il n'a pas été étalonné en France depuis 1975. Il peut être souvent tentant de répondre par un point d'interrogation. Évitez, cela serait interprété comme une stratégie d'évitement.

Soyez spontané. Ne trichez pas. Certaines questions sont, à dessein (pour dépister les tricheurs justement), des variations sur le même thème. Vous répondez une fois « oui », une fois « non », cela peut être éliminatoire.

Le 16 PF (Cattell)

Utilisé par 26 % des recruteurs en cabinets et entreprises, le 16 PF (ou 16 PF5, qui correspond à la cinquième édition en 95) de Cattell est très proche du GZ Test dans sa présentation et ses objectifs. Il présente 185 questions souvent formulées à la première personne avec 3 réponses possibles. Durée : non limitée, entre 30 et 40 minutes.

Exemple

J'aime assister à des matches :

a. Oui
b. Parfois
c. Non.

Son objectif : analyser un profil de personnalité à partir de seize traits de caractère dits « facteurs primaires » :

extraversion (facteur A), intelligence abstraite (B), stabilité émotionnelle (C), affirmation de soi (E), vivacité (F), sens des conventions et des règles (G), assurance (H), sensibilité (I), vigilance (L), imagination (M), niveau d'intériorisation (N), d'appréhension (O), ouverture au changement (Q1), autonomie (Q2), perfectionnisme (Q3) et tension physique et psychique (Q4).

La combinaison de ces différents facteurs permet de positionner la personnalité par rapport à cinq grandes dimensions (facteurs globaux ou « échelles ») :

- extraversion/introversion (facteurs A, F, N, H et Q2)

- anxiété, émotivité/imperturbabilité (facteurs L, O et Q4)

- dureté, intransigeance/tolérance (facteurs A, I, M et Q1)

- indépendance, autonomie/conciliation (facteurs E, H, L et Q1)

- contrôle de soi, pondération/impulsivité (facteurs F, G, M et Q3).

Chacune de vos réponses est affectée d'un coefficient qui est crédité ou débité à une tendance particulière. Par exemple, pour la question posée, répondre « oui » augmente d'un point votre niveau « d'extraversion », « non » le diminue, « parfois » est crédité au compte de votre « modération ».

Comment « bien répondre »

• Les 170 premières questions concernent votre personnalité. Évitez d'accumuler les réponses de type « parfois ». On en déduira que vous avez une personnalité « faible » ou alors que vous cachez votre jeu.

• Évitez dans un facteur donné de vous classer dans les extrêmes. Par exemple, dans le facteur L, d'apparaître trop confiant ou trop méfiant en répondant d'une manière systématique.

• Méfiez-vous des 15 dernières questions (à partir de la 171), qui évaluent votre mode de raisonnement : les réponses, de type Vrai, Faux ou Je ne sais pas, sont jugées bonnes ou mauvaises. Trop de « Je ne sais pas » est considéré comme un signe d'indécision ou une stratégie d'évitement.

• Comme tous les questionnaires de personnalité, le 16 PF comporte une douzaine de questions destinées à mesurer votre indice de « désirabilité sociale » (volonté d'apparaître comme le candidat idéal en répondant dans le sens que vous pensez être attendu). Vous pouvez répondre d'une manière qui vous est favorable à ce type de question (par exemple : « Je rends toujours service aux autres » ou « Il m'arrive de ne pas être ponctuel »), mais pas plus de huit fois sur douze.

L'indicateur typologique de Myers-Briggs (MBTI)

Créé en 1942 par deux Américaines, la mère, Katharine Briggs, et la fille, Isabel Briggs Myers, sur la base des travaux de C.G. Jung, le MBTI se rencontre très souvent en recrutement, particulièrement dans les sociétés de culture anglo-saxonne (10 000 MBTI sont passés chaque jour aux États-Unis).

Publié en France depuis 1987 par les Éditions du Centre de psychologie appliquée, le MBTI est très souvent utilisé en bilan et en orientation car il décrit des types neutres (ni bons ni mauvais).

Il présente 89 questions avec deux réponses possibles pour la plupart des questions. Sa durée, de 20 à 30 minutes, n'est pas limitée.

Exemple

Choisissez entre les mots suivants celui qui vous correspond le mieux :

1. Fabriquer
2. Créer

Préféreriez-vous être considéré comme :

1. Une personne ingénieuse
2. Une personne pratique

Ce test vise à mettre en évidence vos préférences fondamentales en fonction de quatre dimensions, définies chacune par deux pôles opposés :

Dimensions	Pôles	
1. Orientation du sujet	Extraversion (E)	Introversion (I)
2. Mode relationnel	Perception (P)	Jugement (J)
3. Modalités de perception	Sensation (S)	Intuition (N)
4. Critères de jugement	Pensée (T)	Sentiments (F)

La combinaison de ces préférences définit votre type

ISTJ	ISFJ	INFJ	INTJ
Administrateur	Protecteur	Créatif	Perfectionniste
ISTP	ISFP	INFP	INTP
Praticien	Conciliateur	Idéaliste	Concepteur
ESTP	ESFP	ENFP	ENTP
Pragmatique	Convivial	Communicateur	Innovateur
ESTJ	ESFJ	ENFJ	ENTJ
Organisateur	Maternant	Animateur	Meneur

Mots clés			
Sensation	**Intuition**	**Pensée**	**Sentiment**
Particulier	Général	Objectif	Subjectif
Souci du détail	Vision globale	Principes	Valeurs
Analytique	Synthétique	Distanciation	Implication
Pragmatique	Idéaliste	Sympathie	Empathie
Sens pratique	Esprit imaginatif	Logique	Associatif
Méthode	Inspiration	Critique	Compréhensif
Procédural	Expérimental	Réflexion	Conviction
Ici-Maintenant	Anticipation	Vrai/Faux	Bien/Mal
Conserver	Changer	Raisonner	Éprouver

Le Papi (PA Preference Inventory)

Le « Papi », de PA Consulting Group, est sans doute le test informatisé le plus utilisé actuellement. 10 % des recruteurs, plus de cent cinquante grandes entreprises : Bull, Rank Xerox, la Compagnie Bancaire, le Crédit Lyonnais, le GAN, l'UAP (pour les jeunes diplômés), France Loisirs, etc., y ont régulièrement recours. Il présente 90 doubles propositions. Vous devez chaque fois choisir celle qui vous semble la plus proche ou la moins éloignée de votre comportement personnel. Sa durée n'est pas limitée, entre 10 et 20 minutes, mais au-delà, vous faites douter de votre capacité à prendre des décisions.

Exemples

1.a) Je travaille beaucoup
  b) Je me lie très facilement

2.a) Je me décide vite
  b) J'aime raconter mes exploits

Ce test se propose de cerner vingt traits de personnalité (dix besoins et dix rôles) et de les combiner pour prévoir vos comportements professionnels en fonction de sept facteurs : conscience professionnelle, dynamique de travail, recherche de résultats personnels, tempérament, ouverture d'esprit, sociabilité, ascendant sur les autres.

Chacune de vos réponses affecte en plus ou en moins (d'un point) une tendance. Par exemple, pour les questions posées, « Je travaille beaucoup » accroît votre « productivité » ; « Je me lie très facilement », votre « sociabilité » ; « Je me décide vite », votre « capacité à la décision » ; « J'aime raconter… », votre « besoin d'attirer l'attention ».

À noter : le test existe en deux versions. Le Papi-I (du grec Ipsos, *par rapport à soi*) offre un choix forcé. Plus adapté au développement professionnel, il est plus utilisé dans le cadre de la formation, en bilan et en orientation. Le Papi-N (pour « Normatif ») offre un choix « ouvert » (sept possibilités allant de « Pas du tout d'accord » à « Tout à fait d'accord » pour chaque question (126 au total). Comparant vos résultats à une population de référence, il est plus fréquemment utilisé en recrutement.

Comment « bien répondre »

En argumentant vos réponses. L'appréciation de vos propres résultats, vos réactions aux éventuels commentaires du recruteur, font partie intégrante du test. Alors, préparez à l'avance une liste de vos qualités et de vos défauts (trois-quatre de chaque) et illustrez-les par des exemples concrets tirés votre expérience professionnelle, cela vous aidera à « prouver » vos qualités et à défendre votre point de vue.

Le Potentiel de Sigmund

Le Potentiel est utilisé par 4 % des services de recrutement, plus de deux cents grandes entreprises dont Nestlé, la Française de Brasserie, Calberson, le Printemps, Spizza 30' ou l'UAP (pour ses commerciaux). Il est fréquemment utilisé pour le recrutement de jeunes diplômés. Il présente 450 questions à choix multiples, affectées d'un temps de réponse en fonction de la complexité de la question et du temps nécessaire à sa lecture. Sa durée, non limitée, est de 60 minutes environ.

Exemple

Que pensez-vous de cette phrase de Paul Valéry :

«Que de choses il faut ignorer pour agir.» (10 secondes)

a. C'est très juste
b. C'est juste
c. Ça n'est pas si simple
d. C'est faux.

Ce test passe au crible et croise trente-huit traits de personnalité dont l'indépendance, la capacité à travailler en équipe, le sens de l'action et de la hiérarchie, le respect des usages, la qualité de négociation, la facilité de contact, l'aptitude au management, la capacité à prendre des risques, la résistance à l'échec et même l'adhésion... au test que vous êtes en train de passer.

Chaque réponse affecte en plus ou en moins un trait de personnalité. Par exemple, pour la question posée, «C'est très juste» augmente votre «capacité à prendre des risques»; «C'est faux» diminue votre «sens de l'action».

Comment «bien répondre»

La vitesse de défilement des questions est d'autant plus rapide que votre niveau d'études est élevé. Donc des temps de réponse souvent très courts, l'ordinateur n'attend pas. Pas question non plus de changer une réponse. Autrement dit : attention de ne pas hésiter trop longtemps. Il est préférable de répondre «à peu près» que pas du tout.

À la fin du test, on vous demande de vous auto-évaluer dans différents domaines : puissance de travail, convivialité, capacité à décider, à diriger... Cela suppose d'avoir préalablement réfléchi à vos qualités (pour les mettre en avant) et à vos défauts (pour les minimiser), pour ne pas «improviser» (voire bafouiller).

Le Sosie

Compilation de trois inventaires de la personnalité créés par L.V. Gordon, un psy américain, le Sosie est couramment utilisé en recrutement ou dans le cadre de formations (version française publiée par les Éditions du Centre de psychologie appliquée). Il présente 88 items : 38 pour vos traits de personnalité (ascendance sur les autres, sens des responsabilités, stabilité émotionnelle...) et 50 concernant vos valeurs personnelles (conformisme, bienveillance, dépendance, réalisation de soi, etc.). Vous devez choisir dans chaque groupe de 3 ou 4 affirmations celle qui vous convient le plus et celle qui vous convient le moins. La durée du test, non limitée, est de 30 à 45 minutes environ.

Exemple

a) Calme et détendu dans sa manière d'être
b) Réfléchit toujours avant de se décider
c) N'est pas très confiant dans ses propres capacités
d) A besoin d'autonomie dans son travail

L'objectif du Sosie consiste à restituer une image de votre comportement au travail à travers 20 traits de caractère (matérialisme, intérêt pour les autres, goût du pouvoir, etc.) et à définir votre profil professionnel en fonction de 4 types :

Profil A : Organisateur
Profil B : Chef de projet
Profil C : Facilitateur
Profil D : Expert

LES TESTS PROJECTIFS

Les tests projectifs sont utilisés par 20,5 % des grandes entreprises et des cabinets de recrutement.

Ce sont des tests de personnalité mais, à la différence des questionnaires, on vous demande toujours d'interpréter, d'imaginer ou de créer quelque chose pour vous amener à manifester votre caractère et à extérioriser vos tendances. Bref, ils se proposent de décrypter votre personnalité de façon à la fois plus profonde et plus globale, en faisant directement appel à votre inconscient.

Les tests projectifs les plus courants

Utilisés à l'origine en milieu clinique pour dépister les troubles de la personnalité, les tests projectifs employés par les cabinets-conseils et les entreprises sont de fait des grands classiques de la psychologie. Ils ont donné lieu à des centaines d'ouvrages d'explications et de commentaires.

Les plus utilisés :

• Le Rorschach (interprétation de taches d'encre)

• Le TAT de Murray (interprétation d'images)

• Le PF de Rosenzweig (interprétation de dessins)

• Le test d'Arthus (construction d'un village)

À qui s'adressent-ils ?

Longs à faire passer et à interpréter (plusieurs heures par exemple pour le Rorschach), nécessitant des psychologues spécialisés, les tests projectifs sont d'un coût très élevé pour les entreprises. De facto, ils sont le plus souvent réservés à des cadres supérieurs.

Sept conseils pour bien passer ce type de tests
• Évitez de les critiquer dans le fond ou la forme. Si on vous demande expressément ce que vous en pensez, soyez positif (n'en faites pas trop).

• Soyez posé. Évitez les manifestations d'enthousiasme (exclamations, réflexions) ou de mauvaise volonté (gestes brusques, ton sec, cassant, agressif…).

• Interpréter, imaginer, dessiner, créer… faites toujours ce qu'on vous demande sans poser de question (genre «pour quoi faire?»).

• Montrez-vous toujours le plus spontané possible. Cela laisse penser que vos réponses, vos actes sont proches de ceux que vous auriez en situation réelle.

• Ne fournissez pas une avalanche de commentaires ou d'explications, pour vous justifier.

• Surveillez vos mimiques, vos gestes… Les psychologues vous jugent aussi sur vos réactions non verbales.

• Évitez l'humour. Il est souvent perçu comme une agressivité refoulée.

• Méfiez-vous de vos attitudes et commentaires après coup. Le test n'est vraiment terminé que quand vous êtes parti.

Le Rorschach

Créé en 1921 par un psychiatre suisse, Hermann Rorschach, plus connu sous le nom de «test des taches d'encre», c'est le plus réputé des tests projectifs*. 6 % des cabinets (par exemple Etap) et des entreprises l'utilisent pour le recrutement de cadres de haut niveau. Le but consiste à réaliser un diagnostic complet de la personnalité dans toutes ses dimensions, mentales, affectives,

---

* Le test de Rorschach est publié par les Éditions du Centre de psychologie appliquée.

instinctives. Le test lui-même peut durer jusqu'à plusieurs heures. On vous présente dix taches d'encre, certaines noires, d'autres en couleur, numérotées de I à X, et on vous demande habituellement : « Qu'est-ce que cela pourrait représenter ? »

Exemple

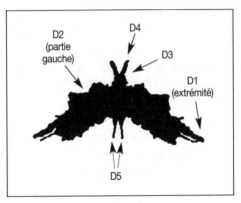

Les « réponses » à cette image sont significatives de votre image du Moi et votre adaptation au réel. Voici les réponses les plus fréquemment données :

Réponses « global »

Banales : papillon, chauve-souris (les plus banales), danseur, Dracula, oiseau, vampire, vautour.

Originales : aigle, ange, avion, canard, corbeau, étole, huître, moustache, puce, vaisseau spatial.

Réponses « détail »

D 1 banales : jambe, os, tête de reptile.

D 1 originales : bâton, branche, bras, bûche, muscle, racine.

D 2 banales: buissons, humain allongé, rocher, tête humaine (profil).

D 2 originales: algue, couverture, éventail, nuage, sac de couchage.

D 3 banales: tête d'animal (de face), tête humaine (masquée).

D 3 originales: antennes, ciseaux, lance-pierre, pinces, wishbone.

D 4 banales: cygnes, pattes (oiseau), pinces.

D 4 originales: aspirateur, bec, pattes (animal), queues.

D 5 banales: racine, tête (reptile).

D 5 originales: clefs à pipes, jambes, pattes, têtes (oiseau, dessin animé).

Vos réponses sont notées de deux points de vue: quantitatif et qualitatif.

Au plan quantitatif, on prend en compte:

• Le nombre total de réponses: R. La moyenne statistique entre 20 et 30 réponses. Avec un niveau d'instruction supérieur, vous êtes censé donner entre 40 et 50 réponses. Vous devez rester dans les normes.

• Le temps total des réponses: T.

• Le temps par réponse: T-R. Le délai moyen de réflexion est de 45 secondes. Vous devez vous y tenir.

Du point de vue qualitatif, on note:

• La localisation des réponses, principalement: G pour les réponses «global» (la moyenne se situe entre 7 et 10) et D pour les réponses «détail» (moyenne entre 15 et 21).

• Le déterminant des réponses: F pour les réponses

«forme», C pour les réponses «couleur», K pour les réponses «mouvement».

• Le contenu des réponses: A pour les réponses «animal», H pour les réponses «humain», Ana pour les réponses «anatomie».

Comment « bien répondre »

Vous pouvez préparer vos réponses, mais n'essayez pas de faire du «par cœur». Les psychologues ne sont pas idiots: ils ont l'habitude des simulateurs. Un parcours «idéal» vous discréditerait complètement. Votre interprétation des taches doit conserver une certaine spontanéité. D'autant que, le test terminé, l'opérateur revient sur chacune de vos réponses. Il vous demande les raisons, si elles ont été inspirées par la forme ou la couleur, etc.

Normalement, l'interprétation d'une tache se fait dans un certain ordre. Vous devez d'abord interpréter la tache dans son ensemble (réponses G), ensuite certains grands détails (réponses D), puis quelques petits détails (réponses Dd). Enfin, et seulement si on vous le demande, vous pouvez interpréter un détail dans le blanc (réponses Dbl).

Respectez aussi quelques règles

• Ne faites pas de commentaires (évitez aussi les mimiques, les exclamations de désapprobation ou d'approbation, genre «berck», «hum hum»…) sur la qualité des taches, des couleurs. Bref, ne critiquez pas le test.

• Ne faites pas remarquer que les taches sont symétriques (elles ont été conçues comme ça).

• Ne refusez jamais d'interpréter une planche. Rorschach écrit à ce sujet: «Le refus de l'une ou de l'autre des images n'a pour ainsi dire jamais lieu chez les sujets normaux.»

• Donnez des réponses globales avant d'interpréter les détails.

• Interprétez les parties colorées en donnant des réponses forme-couleur (un papillon rouge) plutôt que couleur-forme (rouge comme un papillon).

• Interdisez-vous les réponses couleur pure, par exemple, dire « c'est rouge » ou bleu, rose, etc.) ou assimilées : sang ou feu pour le rouge, lac ou ciel pour le bleu, etc.

• N'interprétez pas les petits détails ou les blancs sauf si on vous le demande.

• Donnez des réponses « humain » ou « animal » en extension plutôt que des réponses « objet » ou figées.

• Évitez autant que possible les réponses « sexe » (sauf planche VI), « anatomie », « géographie », « botanique », « nature », « aliment » ou floues (nuages, fumées, etc.).

• Évitez absolument les références qui laissent supposer des tendances pathologiques : masques, vêtements, boissons, bouche, gueules ouvertes, statues, dessins, caricatures, combats, armes, éléments (air, eau, feu, terre), fragments (boue, fiente, saleté…), microbes, chair pourrie, arbre pourri, bois brûlé, fumées noires…

• Évitez de donner les mêmes réponses pour plusieurs planches, même si elles se ressemblent.

• Abstenez-vous de toutes références à votre vie personnelle présente ou passée.

Le T.A.T. de Murray

Le Thematic Apperception Test (T.A.T.) a été créé dans le courant des années 30 par Henri A. Murray, un psychologue américain, et définitivement mis au point en 1943 après de nombreux tâtonnements. Il fait partie, avec le Rorschach, des tests projectifs de personnalité les plus utilisés à travers le monde.

C'est sans doute aussi le plus contesté dans la mesure où il entre une grande part de subjectivité dans l'appréciation de ses résultats. Malgré cela, il est fréquemment utilisé par les cabinets de sélection pour la sélection (recrutement ou promotion) des cadres.

Comme le Rorschach, le T.A.T. se propose de réaliser un psychodiagnostic complet (contenus conscients et inconscients) de la personnalité, une «radiographie du Moi profond» selon Murray : motivations et sentiments (agressivité, auto-agressivité, domination, soumission, érotisme…), pression de l'entourage, relations avec autrui.

Le test se déroule normalement en deux séances (1 à 2 heures en tout) à deux jours d'intervalle. On vous présente 13 ou 14 images noir et blanc (dessins, photographies, reproductions de tableaux ou de gravures) et on vous demande d'inventer une intrigue ou une histoire qu'elle pourrait illustrer, en donnant libre cours à votre imagination. Tout ce que vous racontez est intégralement enregistré. À la fin de chaque séance, le testeur procède à une enquête pour savoir où vous avez puisé votre inspiration.

Exemple

L'image 1 montre un jeune garçon assis, coudes sur une table, tête entre les mains, un violon et son archet placés devant lui. Il semble les regarder avec un air maussade ou rêveur. Ce qui est en jeu, c'est votre capacité à réagir devant une difficulté ou une impossibilité immédiate (l'enfant confronté à un objet d'adulte). Les histoires sont généralement bâties autour des thèmes suivants : enfant se refusant à jouer du violon, enfant rêvant d'un avenir glorieux, enfant contraint de jouer et menacé d'être puni, enfant content et désireux de posséder un violon, etc.

Votre prestation est évaluée de deux façons : une analyse formelle du récit et une analyse des contenus. L'analyse formelle a pour but de fournir des informations sur votre degré et votre forme d'intelligence : capacités critique ou littéraire, intuition, sens des réalités, organisation de la pensée, cohérence des idées, éventuelles tendances pathologiques. Vous êtes jugé sur de très nombreux critères, les plus importants :

• la compréhension de ce qui vous est demandé

• votre degré de coopération

• votre perception des images

• vos capacités à raconter plutôt qu'à interpréter

• votre construction des histoires : cohérence et vraisemblance, pertinence avec l'image, style, richesse des détails

• le langage que vous employez : pauvreté ou richesse de l'expression, syntaxe, prédominance de certaines catégories de mots (verbes, adjectifs, etc.).

L'analyse du contenu s'effectue en cinq points
• La recherche du personnage central à chaque histoire : le héros. Il peut parfois être nécessaire de distinguer un héros principal et un héros secondaire. Les sentiments et les actes du héros représentent les propres sentiments et motivations de la personne testée.

• Les forces de l'entourage exerçant une influence sur le héros : influences positives ou négatives qui se traduisent par les sentiments et les actes que le testé prête aux personnages secondaires.

• Le déroulement et le dénouement de l'histoire : les réactions du héros dans la situation imaginée par la personne testée, l'évolution de cette situation vers le dénouement, la manière dont se produit le dénouement et, enfin, la nature même du dénouement.

• L'analyse du thème de l'histoire : sa fréquence, son originalité, sa charge dramatique, sa richesse psychologique.

• Les intérêts et les sentiments : les attitudes positives ou négatives du héros envers les personnages qui lui ressemblent (âge, sexe...) et envers les personnages de l'autre sexe (désir/dégoût) ou plus âgés (figures parentales).

Comment « bien répondre »

• Ne décrivez pas l'image, ne laissez pas votre imagination galoper non plus. Votre histoire doit « coller » à l'illustration et rester vraisemblable. Tenez-vous-en à des situations simples, sans pour autant banaliser à outrance.

• Choisissez un héros positif sociable, entreprenant, responsable, optimiste..., de même sexe et, autant que possible, sensiblement du même âge que vous.

• N'oubliez jamais que les sentiments, les pensées et les actes de votre héros sont toujours interprétés comme étant les vôtres.

• Racontez des histoires positives (avec un *happy end*), particulièrement quand il s'agit de famille, de travail, de couple et d'amour. Même si certaines images sont faites pour suggérer une atmosphère de drame, évitez les scénarios catastrophes, les thèmes tristes (dénuement, maladie incurable, impuissance...), défaitistes (abandon, renoncement, fuite...), agressifs (persécution, volonté de puissance...), obsessionnels (propreté, argent, ordre...), sexuels (érotisation des relations, expressions crues...).

• Abstenez-vous de toutes références politiques et/ou religieuses.

• Ne dramatisez pas, mais n'idéalisez pas non plus. Vous ne racontez pas une histoire à l'eau de rose.

• Ne télescopez pas les rôles. Vos personnages doivent être clairement identifiables et rester faciles à suivre.

• Ne changez pas brusquement de direction dans le cours

de l'histoire. Votre récit doit se dérouler logiquement, sans rebondissements ni effets théâtraux.

• Parlez posément. Évitez de vous agiter (exclamations, mimiques trop expressives, parler avec les mains, etc.), de faire dans l'ironie, la dérision ou de prendre à témoin l'examinateur (demandes, clin d'œil, etc.).

• Évitez les références personnelles ou autobiographiques. Ne racontez pas votre vie ; restez extérieur à votre récit.

• Ne reniez jamais ce que vous avez dit quand le psychologue s'intéresse à un point particulier de votre récit.

Le PF de Rosenzweig

Le PF*, ou test des bandes dessinées, a été conçu en 1948 par Rosenzweig, un psychologue américain. Il est très utilisé par 10 % des cabinets (par exemple, Alexandre Tic) et des entreprises. Il est notamment employé pour le recrutement de psychologues.

Son objectif : évaluer vos réactions au stress de la vie courante (force et faiblesse du Moi, capacité à surmonter les obstacles, à prendre des responsabilités...).

On vous présente sous forme de dessins stylisés (les visages ne sont pas dessinés pour ne pas influencer les réponses) 24 situations où un personnage dit quelque chose (dans une bulle), vous devez répondre.

(Voir exemple page suivante.)

---

* Le PF est publié par les Éditions du Centre de psychologie appliquée.

Exemple

Une voiture a éclaboussé un piéton. Le conducteur s'excuse : le piéton doit répondre.

Vos réponses sont notées en fonction de deux critères : la direction de l'agression et le type de réaction.

On peut observer trois directions possibles :

• extrapunitive, quand l'agressivité vise directement la personne rendue responsable de la frustration. Ce sont des réponses du type : « C'est de votre faute », « Vous auriez pu vraiment faire attention », « Vous êtes vraiment nul » ;

• intrapunitive, quand elle est retournée contre soi. Ce sont des réponses du type : « C'est de ma faute », « Je suis désolé », « J'aurais dû prévoir » ;

• impunitive, quand la frustration est minimisée, la responsabilité du préjudice n'est ni attribuée à un tiers ni endossée par soi. Elle est neutralisée. Ce sont des réponses du type : « Ce n'est la faute de personne »,

«Nous n'y sommes pour rien», «Ne vous inquiétez pas, ça va s'arranger».

On distingue également trois types de réaction:

• la prédominance de l'obstacle, quand la situation de frustration est reconnue et acceptée comme telle. Dans ce cas, l'accent est porté sur l'obstacle lui-même qui est dramatisé («C'est très ennuyeux», «C'est terrible»...), minimisé («Ce n'est pas bien grave», «On a vu pire»...) ou revalorisé («Profitons-en pour...», «Ça nous donne l'occasion de...»);

• la défense du Moi, quand la réponse porte sur la réaction personnelle devant l'obstacle, soit qu'on rejette la responsabilité sur l'autre («C'est de votre faute», «Je n'y suis pour rien»...), qu'on se l'attribue («C'est de ma faute», «Excusez-moi»...) ou qu'on dénie toute responsabilité («Ce n'est de la faute de personne», «On n'y peut rien»...);

• la persistance du besoin, quand la réponse envisage les solutions propres à résoudre le problème posé, en comptant sur l'autre («Vous allez être obligé de...», «Vous me devez de...»), en ne comptant que sur soi («Je vais arranger ça», «Je m'en occupe»...) ou en comptant sur le temps pour arranger les choses («Demain, on n'y pensera plus», etc.).

Toutes les études statistiques réalisées sur ce test ont montré que la grande majorité des gens donnent le même type de réponses dans 16 des 24 situations proposées. Vos réponses, comparées à ces données statistiques, vont définir un indice de conformité au groupe et un profil.

À titre indicatif, le profil moyen s'établit comme suit:

• Réponses extrapunitives = 12
• Réponses intrapunitives = 6
• Réponses impunitives = 6
• Prédominance de l'obstacle = 5

- Défense du Moi = 14
- Persistance du besoin = 5

Comment « bien répondre »

• Répondez rapidement. Un temps de réponse trop long est interprété comme un signe d'opposition, d'inhibition ou d'angoisse.

• Ne restez pas «muet» devant un dessin. Cela laisse penser que vous avez un problème dans ce type de situation.

• Répondez simplement ; évitez les hésitations.

• Méfiez-vous de l'humour. Il est aussi apprécié en fonction de sa direction : contre vous-même, contre l'autre personnage, par rapport à la situation elle-même.

Le test du village

Le test du village, emprunté à l'Institut d'orientation professionnelle d'Utrecht, a été introduit en France en 1939 par Henri Arthus, remanié en 1950 par Pierre Mabille et systématisé par Mireille Monod.

Il se déroule en deux parties : une première, non verbale, la construction d'un village à partir d'éléments (18 maisons à enseigne, 34 éléments d'architecture, 40 éléments de paysage, etc.) ; puis, la réponse à un questionnaire d'une trentaine de questions. Sa durée n'est pas limitée : elle varie entre 15 et 35 minutes pour la construction elle-même et de 15 à 45 minutes pour le questionnaire.

Votre prestation est évaluée en fonction de plusieurs critères

• Nombre et pourcentage des pièces utilisées pour l'ensemble et dans les quatre catégories d'éléments.

• Nombre et pourcentage des zones et des sub-zones (64 carrés de 10 cm de côté) occupées.

• Organisation du village rapportée au schéma suivant.

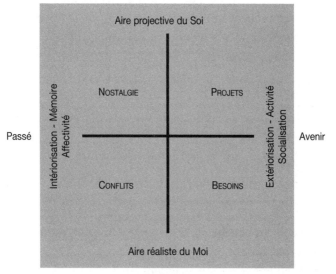

Spiritualisme

Aire projective du Soi

NOSTALGIE · PROJETS

Passé · Avenir

Intériorisation - Mémoire Affectivité

Extériorisation - Activité Socialisation

CONFLITS · BESOINS

Aire réaliste du Moi

Matérialisme

La proportion des éléments dans chaque zone, la répartition des éléments et la situation des ouvertures et des voies de communication sont prises en compte. Par exemple, une majorité d'éléments dans la zone «nostalgie» signifiera une personnalité introvertie, tournée vers le passé; la maison du sujet dans la zone «conflits», des troubles affectifs.

• Localisation par rapport à ces zones.

• Place et localisation des éléments symboliques: maison du sujet, église, ponts, arbres (ronds et coniques), arche.

• Votre attitude générale et vos comportements durant l'épreuve (temps de réaction, succession des mouvements, commentaires, mimiques…).

Comment « bien répondre »

1. Utilisez un maximum de pièces (pourcentage moyen chez les adultes : 85 %).

2. Utilisez autant d'éléments (proportionnellement) dans les quatre catégories.

3. Occupez un maximum d'espace, sans pour autant vous éparpiller.

4. Répartissez vos constructions en proportions sensiblement égales dans les quatre grandes zones.

5. Organisez votre village autour d'un centre.

6. Placez toutes les maisons à enseigne et l'église.

7. Évitez les constructions symétriques, en cercle ou demi-cercle, en carré ou dominante de perpendiculaires, en fer à cheval, en bouclier (arcs de cercle autour du centre).

8. Mélangez en proportions égales lignes courbes (émotionnel) et lignes droites (rationnel).

9. N'oubliez pas de prévoir des ouvertures et des voies de communication avec l'extérieur.

10. Relisez le questionnaire et commencez à y réfléchir.

QUESTIONNAIRE ÉTABLI PAR MIREILLE MONOD

- Êtes-vous droitier ou gaucher?

- Votre village est-il inventé?

- Quelle est l'orientation générale?

- Quel est le paysage autour de votre village?

- Y a-t-il une rivière? Y a-t-il une forêt?

- Comment entre-t-on dans votre village?

- Comment circule-t-on à l'intérieur de votre village?

- Comment sort-on de votre village?

- Quels sont les monuments?

- Y a-t-il un château, une usine, une prison dans votre village? Où sont-ils?

- Si vous pouviez choisir une maison dans ce village, laquelle choisiriez-vous?

- Quel âge avez-vous et quel métier exercez-vous dans ce village?

- Si votre mère, votre père ou quelques membres de votre famille devaient habiter le village, où habiteraient-ils? Où les installeriez-vous?

- Qui représente l'autorité?

- Quelles sont les personnes les plus importantes dans le village?

- Le village va être attaqué: par qui? Comment? Où?

- Le village se défend-il? Comment?

- Dans quel état le village se trouve-t-il une fois l'événement passé?

- Vous faites une promenade dans votre village, laquelle?

- Il éclate un incendie dans le village : où? Comment? Que fait-on?

- Dans quel état se trouve le village après l'incendie?

- Il va venir une visite dans votre village : qui est-ce? Que va-t-il faire?

- Si vous pouviez choisir les gens de votre village, qui y mettriez-vous?

- Il y a dans ce village un enfant malheureux : où habite-t-il? Pourquoi est-il malheureux?

- Y a-t-il des pièces qui vous ont marqué : lesquelles?

- Y a-t-il des pièces qui vous ont gêné : lesquelles?

- Aviez-vous un plan au départ? Avez-vous changé de plan en cours de construction?

- Qu'y aurait-il à changer dans ce village? Où?

- Êtes-vous satisfait de votre village?

- Si, avec le matériel que vous n'avez pas utilisé, je vous demandais de faire quelque chose à tout prix, qu'en feriez-vous?

Pour plus de détails sur ces tests, voir *Tests d'entreprise Mode d'emploi*, du même auteur, chez Marabout.

TABLE DES MATIÈRES

Introduction   7

Vos fondamentaux   **9**

Vos tendances de personnalité   **10**
La personnalité paranoïaque, 18 / La personnalité schizoïde, 19 / La personnalité schizotypique, 19 / La personnalité antisociale, 20 / La personnalité limite, 20 / La personnalité histrionique, 21 / La personnalité narcissique, 22 / La personnalité évitante, 23 / La personnalité dépendante, 24 / La personnalité obsessionnelle-compulsive, 24 / La personnalité passive-agressive, 24 / La personnalité sadique, 25 / La personnalité à conduite d'échec, 26

Votre caractère   **27**
L'émotivité   27
L'activité   27
Le retentissement   27
Vous êtes « colérique », 35 / Vous êtes « passionné », 36 / Vous êtes « nerveux », 37 / Vous êtes « sentimental », 38 / Vous êtes « sanguin », 39 / Vous êtes « flegmatique », 40 / Vous êtes « amorphe », 41 / Vous êtes « apathique », 41

Votre forme d'intelligence   **43**
Cerveau droit ou cerveau gauche   43
Polarité limbique ou corticale   47

Votre type mental **50**
*Le type cortical gauche, 50 / Le type cortical droit, 52 /
Le type limbique gauche, 54 / Le type limbique droit, 57*

Votre estime de soi **60**

Votre intelligence émotionnelle **69**

VOTRE PROFIL PSYCHOPROFESSIONNEL **79**

Votre indice d'extraversion **81**
Votre indice d'extraversion 85
Vos « niveaux » d'extraversion 87
*Sociabilité, 87 / Affirmation de soi, 87 / Niveau d'activité,
87 / Mobilité, 87 Optimisme, 88*

Votre indice de convivialité **89**
Votre indice de convivialité 93
Vos « niveaux » de convivialité 95
*Confiance, 95 / Éthique, 95 / Altruisme, 95 / Esprit
d'équipe, 96 / Empathie, 96*

Votre indice de conscience professionnelle **97**
Votre indice de conscience professionnelle, 101
Vos « niveaux » de conscience professionnelle 103
*Méthode, 103 / Fiabilité, 103 / Persévérance, 104 /
Détermination, 104 / Prudence, 104*

Votre indice de stabilité émotionnelle **105**
Votre indice de stabilité émotionnelle 109
Vos « niveaux » de stabilité émotionnelle 111
*Anxiété, 111 / Agressivité, 111 / Dépression, 111 /
Vulnérabilité, 112 / Impulsivité, 112*

Votre indice d'ouverture d'esprit **113**
Votre indice d'ouverture d'esprit 117
Vos « niveaux » d'ouverture d'esprit 119
*Inventivité, 119 / Intuition, 119 / Curiosité, 119 /
Compréhension, 120 / Tolérance, 120*

La bonne adéquation profil/job   **121**
Les postes   121
Les fonctions   122

VOTRE NIVEAU DE PERFORMANCE   **125**

Votre degré de motivation   **126**
Les volontaires   129
Les non volontaires   134

Vos capacités d'adaptation   **140**
Votre coefficient d'adaptabilité   143
Ce qui vous empêche d'avancer   145

Votre aptitude au succès   **149**
Vous êtes «Proactif-Optimiste», 151 / Vous êtes «Proactif-Pessimiste», 152 / Vous êtes «Réactif-Optimiste», 152 / Vous êtes «Réactif-Pessimiste», 153

Votre force de persuasion   **154**

Votre résistance au stress   **158**

RÉUSSIR LES TESTS D'ENTREPRISE   **169**

Les méthodes d'évaluation   **170**
Les critères d'évaluation   171
Les différents types de tests utilisés   174

Les tests d'aptitude   **177**
Le BUR   177
Le BV 16 et le BV 17 (Bonnardel)   178
Les mini-situations de travail   179

Les tests d'intelligence   **183**
Le R 80 et le R 85   183
Le D 48 et le D 70   185
Le MGM de Pire   187
Le Matrix 47   189

Le BV 53   192
Les questionnaires de personnalité   **194**
Le GZ Test (Guilford-Zimmerman)   195
Le 16 PF (Cattell)   196
L'indicateur typologique de Myers-Briggs (MBTI)   198
Le PAPI ((PA Preference Inventory)   200
Le Potentiel de Sigmund   201
Le Sosie   203

Les tests projectifs   **203**
Les tests projectifs les plus courants   204
Le Rorschach   205
Le T.A.T. de Murray   209
Le PF de Rosenzweig   213
Le test du village   216

IMPRIMÉ EN ESPAGNE PAR LIBERDÚPLEX (Barcelone)

pour le compte des
Nouvelles Éditions Marabout
D.L. n° 79711 - décembre 2006
ISBN : 978-2-501-05291-7
40.8873.8/01